Jean-Marie Boëlle

# Écosse

**EDITIONS MONDEOS**

# Symboles

Distance entre l'aéroport et le centre-ville

Prix du trajet en train

Temps de trajet

Prix du trajet en bus

Prix de la course en taxi

Prix du trajet en bateau

## Hôtels

✳✳ Simple et confortable　　　✳✳✳ Bon confort

✳✳✳✳ Grand luxe, très confortable　　　✳✳✳✳✳ Très grand luxe

## Restaurants

🍴🍴🍴🍴 Très bonne table. Prix élevés

🍴🍴🍴 Bonne table. Prix abordables

🍴🍴 Table simple. Bon marché

© Les Guides Mondéos

Titres de la collection :
Afrique du Sud, Algérie, Allemagne, Alsace, Amsterdam, Amsterdam et les Pays-Bas, Andalousie, Angleterre et pays de Galles, Antilles françaises, Argentine, Arménie, Asie centrale, Australie, Autriche, Baléares, Barcelone, Belgique, Berlin/Munich/Bavière, Birmanie (Myanmar), Brésil, Budapest et la Hongrie, Bulgarie, Cambodge/Laos, Canada, Canaries, Cap-Vert, Caraïbes, Chili, Chine, Chypre, Corse, Costa Rica/Panamá, Crète, Croatie, Cuba, Danemark/Copenhague, Dubaï/Oman, Ecosse, Egypte, Equateur et les Îles Galápagos, Espagne, Etats-Unis Est, Etats-Unis Ouest, Finlande/Laponie, Florence et Toscane, Floride/Louisiane/Texas et Bahamas, Guatemala, Grèce et les îles, Iles Anglo-Normandes, Ile Maurice, Inde/Népal, Inde du Nord, Inde du Sud, Indonésie, Irlande, Islande, Israël, Istanbul, Italie du Nord, Italie du Sud, Japon, Jordanie/Syrie/Liban, Kenya/Tanzanie/Zanzibar, La Réunion, Libye, Lisbonne, Londres, Madagascar, Madère et les Açores, Madrid, Malaisie et Singapour, Malte, Maroc, Marrakech, Mauritanie, Mexique et Guatemala, Monténégro, Moscou et Saint-Pétersbourg, New York, Norvège, Océan Indien, Paris, Pays baltes, Pérou/Bolivie, Plongée aux Maldives, Plongée en mer Rouge, Pologne, Portugal, Prague, Prague et la République tchèque, Provence-Alpes-Côte d'Azur, Québec et Ontario, République dominicaine, Rome, Roumanie, Sardaigne, Sénégal, Seychelles, Sicile, Sri Lanka/Maldives, Suède, Tahiti et Polynésie française, Thaïlande, Tunisie, Turquie, Venise, Vienne, Vietnam…

**Crédit photos :** A. Boutteville, E. Luvisutti, ACSI : F. Fasser, E. Poussevy, S. Chraibi, Office du tourisme de Grande-Bretagne. **Affiches :** droits réservés.
**Cartographie :** GEOgraphisme, Les Editions Mondéos.
**Conception graphique :** Thierry Renard. **Conception couverture :** Claudie Challois.

L'auteur et l'éditeur dégagent toute responsabilité sur les marques citées dans la rubrique « Santé ». Demandez conseil à votre pharmacien. Le contenu des annonces publicitaires insérées dans ce guide n'engage en rien la responsabilité de l'éditeur. Les erreurs ou omissions involontaires qui auraient pu subsister dans ce guide, malgré nos soins et les contrôles de l'équipe de rédaction, ne sauraient engager la responsabilité de l'éditeur.

© LES EDITIONS MONDÉOS
4 bis, rue du Dahomey, 75011 Paris – Tél. : 01 55 25 49 90 – Fax : 01 55 25 49 99
E-mail : contact@mondeos.com – Internet : www.mondeos.com

Les Editions Mondéos et les Guides Mondéos sont des marques déposées.
Tous droits de traduction, de reproduction et d'adaptation réservés pour tous pays.
Dépôt légal : 1er trimestre 2010 – ISBN : 978-2-84754-444-2 – ISSN : 1292-1602

Imprimé dans l'U.E. – N° 201003.0133

# Sommaire

# Fàilte !

*Soulevez une pierre, une légende en surgit, dit-on volontiers en Ecosse. Le pays collectionne, sous le vol majestueux de ses aigles royaux, les ruines somptueuses, les horizons grandioses, les châteaux les plus fous d'Europe et les meilleurs whiskies du monde. Mais c'est peut-être pour sa culture du surnaturel qu'on l'aime d'abord. Le monstre du loch Ness, Docteur Jekyll et Mister Hyde ou le fantôme de Marie King's Close, à Edimbourg, n'appartiennent qu'à lui.*

Est-ce à cause de son passé sanglant, de ses lacs sans fond, de son relatif isolement, de ses brumes épaisses ou de son incorrigible romantisme que l'Ecosse affiche, envers et contre tout, une telle propension au mystère ? Un tel souci du magiquement correct ? Une telle richesse en poussière d'étoiles ? Dans le château de Glamis, à la grande ombre de Macbeth, les lords jouèrent longtemps aux cartes avec le diable. En Ecosse, on devise naturellement et depuis toujours avec l'au-delà. Le troisième millénaire ne devrait rien changer à cette saine habitude. Ni le triomphe du microprocesseur empêcher des gaillards à barbe rousse et à jupon à carreaux de souffler,

à pleins poumons, dans des cornemuses. Des Lowlands aux Highlands, l'irrationnel appartient au quotidien. Et le passé au futur. Fouetté par son récent statut d'autonomie, arraché à Londres de haute lutte, le pays, dynamisé et rajeuni, se garde de renier ses particularités, ni d'oublier ses traditions. Mais, tout en préservant l'esprit du clan et du tartan, tout en choyant son théâtre d'ombres, il se montre plus accueillant que jamais, entre cités de culture vivante et paysages naturels qui gardent des fraîcheurs et des pudeurs de matin du monde.

# Partir

# Comment partir ?

## EN AVION

### Vols réguliers

*Air France* et *British Airways* assurent plusieurs vols quotidiens Paris CDG-Edimbourg.
Renseignements et réservations *36 54 (Air France)* et *0 825 82 54 00 (British Airways)*.
Durée des vols
1 h 30.

*KLM-Northwest Airlines* vole chaque jour vers Edimbourg, Aberdeen et Glasgow via Amsterdam-Schiphol.
Renseignements et réservations *0 890 710 710.*

Nombreux vols au départ de la province (Bordeaux, Lyon, Clermont-Ferrand, Marseille, Nice, Strasbourg, Nantes, Toulouse…).

### Vols low-cost

*Ryanair* s'envole deux fois par jour pour Glasgow, *BMI* assure plusieurs vols quotidiens pour Édimbourg, Glasgow et Aberdeen *via* Londres.
Renseignements et réservations
*Ryanair : 0892 555 666,*
*BMI : 01 41 91 87 04.*

### Vols réguliers via l'Angleterre

*Air France* et *British Airways* permettent de prendre une correspondance via Londres pour diverses destinations écossaises comme Dundee, Aberdeen, Inverness ou Glasgow.
Durée des vols
1 h 40 environ.

## EN TRAIN

*E*urostar fait la liaison entre Paris (gare du Nord), Lille, Calais et Londres (St Pancrace International) par le tunnel sous la Manche. La durée du trajet Paris-Londres est de 2 h 15. A Londres, correspondance pour l'Ecosse aux gares de King's Cross ou de Euston (*tél. : 8705 186 186*). Les compagnies *GNER* (*tél. : 8457 225 225*) et *Virgin Train* (*tél. : 8457 222 333*) assurent des **liaisons régulières en trains à grande vitesse** entre l'Angleterre et Edimbourg, Glasgow, Aberdeen et Inverness, avec correspondances assurées par *ScotRail* (*tél. : 8457 550 033*).
Durée du trajet
Londres-Edimbourg : 4 h 30,
Londres-Glasgow : 5 h.

Eurotunnel assure des liaisons 24 h/24 et 365 jours par an entre Calais/Coquelles et Folkestone. La compagnie convoie les automobiles, les camping-cars et les autocars.

Durée du trajet

35 min.

Renseignements et réservations

*Tél. : 36 35 (Eurostar) et 0 810 63 03 04 (Eurotunnel)* ou dans les agences de voyages.

## EN AUTOCAR

*E*urolines *(tél. : 0 892 89 90 91 et 1582 404 511)* relie plus de 500 villes réparties dans 25 pays d'Europe avec ses autocars express réguliers. En Grande-Bretagne, à la gare routière de London Victoria, *Eurolines* permet d'emprunter les autocars du réseau britannique *National Express (tél. : 8705 808 080)*. Il assure la liaison entre Londres et plus de 1 200 villes britanniques, dont Edimbourg, Glasgow, Aberdeen et Inverness en Ecosse.

## EN FERRY

**I**l existe de fréquentes liaisons **en ferry au départ du continent européen à destination du nord de l'Angleterre,** à proximité des Scottish Borders. **Newcastle** se situe à environ 2 h 30 en voiture d'Edimbourg et **Hull** à environ 5 h. En France, les principaux ports d'embarquement sont Calais, Boulogne, Dunkerque, Cherbourg, Le Havre, Dieppe, Roscoff, Saint-Malo, Caen/ Ouistreham. En Belgique, Ostende et Zeebrugge.

## PASSEPORT ET VISA

**U**ne carte nationale d'identité ou un passeport en cours de validité pour les ressortissants de l'Union européenne. Pour la voiture : permis de conduire, carte grise, carte verte.

## FORMALITÉS DOUANIÈRES

**H**abituelles interdictions d'importer de la drogue, des explosifs, des armes à feu, etc. Pour les animaux de compagnie : **les six mois de quarantaine qu'on leur imposait traditionnellement appartiennent, désormais, à l'histoire ancienne.** Les chiens ou chats sont acceptés sous certaines conditions (vaccins à jour, etc.).

## ASSURANCES

**U**ne assurance annulation est recommandée lors de l'achat d'un forfait, ainsi qu'une assurance assistance rapatriement. S'assurer que cette dernière n'entre pas, déjà, dans les garanties offertes par une carte de paiement.

## ADRESSES UTILES AVANT LE DÉPART

Office du tourisme
de Grande-Bretagne
*BP 154-08, 75363 Paris cedex 8,*
*tél. : 01 58 36 50 89,*
*fax : 01 58 36 50 58 ;*
*www.visit.britain.com/fr*
*Fermé au public.*

Consulat de Grande-Bretagne
*16, rue d'Anjou, 75008 Paris,*
*tél. : 01 44 51 31 01,*
*fax : 01 44 51 31 28 ;*
*www.amb-grandebretagne.fr*

Office du tourisme britannique
*(Visit Britain, fermé au public)*
*BP 48, Bruxelles 1050,*
*tél. : 02 646 35 10, fax : 02 646 39 86 ;*
*www.visitbritain.com/be*

Comment partir ?

# Avant de partir

## LA SAISON IDÉALE POUR VOYAGER

Officiellement, l'Ecosse annonce un climat océanique, humide et doux. A l'extrémité du continent européen, le pays, battu par la mer sur trois côtés, vit sous un ciel capricieux. Les statistiques démontrent que les mois de mai et de juin sont généralement plus secs que ceux de juillet et d'août. Sans conteste, **le printemps, qui** sonne le début de la saison artistique, constitue une excellente période pour parcourir les Borders ou les Highlands. Avec ses premières brumes, le début de l'automne, très romantique, n'est pas mal non plus. L'hiver sied bien aux grandes villes ; il y met en valeur leur culture ancestrale du *sweet home* et produit des fêtes très spectaculaires. Si Edimbourg affiche un taux de précipitations comparable à celui de Londres, bien

## Tableau des températures moyennes en °C

| janv. | fév. | mars | avril | mai | juin | juil. | août | sept. | oct. | nov. | déc. |
|-------|------|------|-------|-----|------|-------|------|-------|------|------|------|
| 0/6 | 0/7 | 2/8 | 4/10 | 7/13 | 10/17 | 11/18 | 11/18 | 9/16 | 6/13 | 4/7 | 2/7 |

## nombre d'heures d'ensoleillement par jour

| janv. | fév. | mars | avril | mai | juin | juil. | août | sept. | oct. | nov. | déc. |
|-------|------|------|-------|-----|------|-------|------|-------|------|------|------|
| 2,5 | 4 | 5 | 6,5 | 8 | 8 | 7,5 | 7 | 5,5 | 4,5 | 2,5 | 2 |

## nombre de jour de pluie par mois

| janv. | fév. | mars | avril | mai | juin | juil. | août | sept. | oct. | nov. | déc. |
|-------|------|------|-------|-----|------|-------|------|-------|------|------|------|
| 12 | 11 | 11 | 10 | 10 | 11 | 12 | 11 | 11 | 12 | 12 | 13 |

des stations balnéaires de la côte est reçoivent moins de pluie que la ville de Rome ! **Grâce au Gulf Stream, la côte ouest est très douce.** Plus que par des averses persistantes, l'Ecosse se caractérise par des ondées espacées, souvent imprévisibles.

## BOUCLER SA VALISE

**L**e climat, **très variable, conduit à prévoir impérativement un imperméable** (léger, tel un ciré ou un coupe-vent) et, pour la ville, un parapluie. Entre octobre et avril, un ou deux pulls épais sont toujours les bienvenus, surtout au nord du pays. De grosses chaussures en cuir, voire des bottes en caoutchouc, sont parfaitement adaptées à la découverte de la campagne. D'une façon générale, **une tenue décontractée passe partout dans ce pays** voué aux ciels menaçants et aux activités de plein air. Pour un séjour à Edimbourg ou à Glasgow, il est utile de placer une tenue habillée dans ses bagages, notamment pour le dîner, beaucoup d'Ecossais restant très à cheval sur la tradition.

## SANTÉ

**A**ucun vaccin n'est nécessaire. L'Ecosse fait partie de l'Union européenne. Les ressortissants de cette dernière peuvent donc être soignés gratuitement dans les hôpitaux affiliés au National Health Service (NHS) ou auprès des médecins.

## DEVISE ET BUDGET VACANCES

**L**'unité monétaire est la livre sterling ou *pound* (£), divisible en 100 pence (p). Elle vaut environ 1,13 €. Pièces en circulation : 50 p, 20 p, 10 p, 2 p et 1 penny. L'Ecosse émet ses propres billets. Ils diffèrent des billets anglais, mais sont de même valeur et ont cours dans le reste de la Grande-Bretagne. Les billets anglais sont acceptés partout. Les grands magasins, les hôtels, les restaurants, acceptent dans leur majorité les cartes de paiement. Toutefois, il vaut mieux avoir sur soi des livres sterling pour payer dans les boutiques de village, les petits établissements hôteliers et les B&B. Quelques difficultés à prévoir avec les cartes de paiement au nord du pays et dans certaines îles. Dans les grandes villes, on trouve, sans mal, des distributeurs permettant de retirer des espèces avec une carte internationale. Les prix sont sensiblement identiques à ceux de la France. **Toutefois, l'hébergement est plus coûteux en Ecosse que chez nous et l'alcool lourdement taxé.**

## CHOISIR SON VOYAGE

### Un week-end

Edimbourg et Glasgow, à environ 1 h 40 de Paris, constituent deux excellents points de chute pour la fin de semaine. La nouvelle souveraineté écossaise réussit bien aux deux cités. **Edimbourg vaut d'abord pour ses multiples facettes historiques, Glasgow pour son renouveau artistique.** Une population rajeunie confère aux deux cités un dynamisme communicatif. Si l'hiver s'y montre *cosy*, l'été y déploie les fastes de nombreuses fêtes.

### Une semaine

C'est un laps de temps suffisant pour prendre le pouls de l'ensemble de l'Ecosse. Six fois moins grand que la France (250 km de largeur pour 440 km de longueur), le pays affiche des distances raisonnables entre chacune de ses régions. Pour un premier voyage, il faut privilégier les romantiques Borders, au sud, et les sauvages Highlands, au nord, avec, entre les deux, un crochet par les distilleries de whisky des Grampians, un autre par les lacs du Perthshire.

### De 10 à 15 jours

Idéal pour ajouter aux classiques circuits de découverte une incursion dans les îles, aux Hébrides, aux Shetland ou aux Orcades, l'archipel le plus facilement accessible des trois. **C'est aussi l'occasion de développer certains thèmes : les abbayes, les jardins, les châteaux forts, l'observation des oiseaux,** etc. Ou de s'adonner à son activité sportive favorite. Qu'il s'agisse de randonnée pédestre, de pêche au saumon, de golf ou d'équitation, l'Ecosse offre le meilleur de l'Europe.

## DOCUMENTATION

(librairies de voyage à Paris et en province)

### A Paris

**Itinéraires**
*60, rue Saint-Honoré, 75001 Paris, tél. : 01 42 36 12 62.*
*www.itineraires.com*

A consulter également, les espaces librairies des magasins **Fnac** et **Virgin Megastore**.

### En province

**Le Furet du Nord**
*15 place du Général-de-Gaulle, 59000 Lille, tél. : 03 20 78 43 43.*

**Ariane**
*20, rue du Capitaine-Alfred-Dreyfus, 35000 Rennes,*
*tél. : 02 99 79 68 47.*

**Castela**
*20, place du Capitole, 31000 Toulouse, tél. : 05 61 23 24 24.*

**La Proue aux quatre vents**
*9, quai Jules-Courmont, 69002 Lyon, tél. : 04 78 42 27 18.*

## L'ECOSSE À PARIS

### Laine

**Aux Laines écossaises**
*181, boulevard Saint-Germain, 75007 Paris, tél. : 01 45 48 53 41.*
Plaids, cravates, pulls, écharpes, robes de chambre… Un royaume laineux de haut vol, souvent imité, jamais égalé.

**La Boutique Écossaise**
*37, rue Brézin, 75014 Paris, tél. : 01 45 39 43 69.*
Cravates du cru, et, surtout, grand choix de *kilts* pour hommes et pour

femmes, non doublés, ce qui en diminue sensiblement le coût.

## Livres

**Librairie Shakespeare et Cie**
*37, rue de la Bûcherie, 75005 Paris, tél. : 01 43 26 96 50.*
Joyce et Hemingway avaient leurs habitudes dans ce temple de la littérature anglo-saxonne, sur lequel régna la célèbre Sylvia Beach et qui, de nos jours, n'oublie pas les auteurs écossais.

## Bière

**Le Sous-Bock**
*49, rue St-Honoré, 75001 Paris, tél. : 01 40 26 46 61.*
A consommer sur place, toutes les bières du monde ou presque, avec une présence écossaise de qualité, ce qui n'est pas si courant dans la capitale.

## Whisky

**La Maison du whisky**
*20, rue d'Anjou, 75008 Paris, tél. : 01 42 65 03 16.*
Le triomphe du whisky écossais, entre des productions confidentielles, des bouteilles millésimées et des whiskies vraiment mythiques.

## Saumon fumé

**Le Comptoir du saumon**
*61, rue Pierre-Charron, 75008 Paris, tél. : 01 45 61 25 14.*
Deux produits écossais à y suivre en priorité : le saumon fumé à chaud, à la saveur très particulière, et le saumon élevé et fumé aux îles Shetland, rare sur le marché français.

## Haggis

**Saveurs d'Irlande et d'Ecosse**
*5, cité du Wauxhall, 75010 Paris, tél. : 01 42 00 36 20.*
Amoureux et fin connaisseur des produits celtiques, notamment écossais, le patron importe, le fameux *haggis* (panse de brebis farcie). C'est aussi le royaume des thés, des confitures, des cakes aux délicieuses saveurs d'outre-Manche.

## Grouse

**Le Coq Saint-Honoré**
*3, rue Gomboust, 75001 Paris, tél. : 01 42 61 52 04.*
Ce traiteur bien connu des gourmets parisiens propose régulièrement à ses clients la grouse, ce lagopède écossais très apprécié des chasseurs.

## Restaurant

(notre sélection coup de cœur)

**La Maison du caviar**
*21, rue Quentin-Bauchart, 75008 Paris, tél. : 01 47 23 53 43.*
Née en 1956, la maison est très fréquentée par les amoureux des produits gastronomiques russes. On sait moins qu'elle propose un des meilleurs saumons écossais de toute la capitale.

## Soirées animées

**Terre d'Ecosse**
*1 bis, rue de Lanneau, 75005 Paris, tél. : 01 44 41 12 00.*
Pour recréer, chez soi, l'ambiance des Highlands et des Borders, cet organisme vous livre tous leurs produits à domicile.

# Le b,a,-ba de l'ABC

## ACHATS ET ARTISANAT

Travaillée à l'ancienne, la laine, sous forme de vêtements ou de pelotes, est à l'Ecosse ce que la poupée gigogne est à la Russie. **Shetlands, cachemires et tweeds,** à la fois chauds, confortables et élégants, habillent les familles d'ici et d'ailleurs depuis plusieurs générations. L'artisanat écossais demeure très vivace. Il produit notamment **des bijoux en argent finement ciselés,** avec une nette prédilection pour les motifs celtiques. Objets de belle qualité dans les nombreux magasins du *National Trust.* **Pour les pêcheurs et pour les golfeurs,** le pays, on s'en doute un peu, propose **une foule d'accessoires d'excellente qualité, plutôt moins chers qu'ailleurs. Le whisky,** lui, n'est pas forcément bon marché, à cause des taxes locales, mais le choix est époustouflant, chaque région possédant ses crus aux arômes propres. Excellents biscuits sablés des Highlands *(shortbreads).* En ville comme à la campagne, **les boutiques d'antiquités ne manquent pas ; on s'y intéressera d'abord aux cuivres, aux étains, à l'argenterie, aux armes anciennes aussi.** Dans les principales villes foisonnent, aujourd'hui, les galeries commerciales géantes et tonitruantes. Les boutiques traditionnelles ne baissent pas pavillon pour autant. Ainsi, à Glasgow, *MacDonald Mackay,* qui coupe toujours des kilts aux couleurs des Gaëls ! Sur tous les lieux touristiques, très grand choix de CD de musique traditionnelle.

## ARRIVÉE ET DÉPART

Les deux principaux aéroports internationaux d'Ecosse se trouvent à **Edimbourg** (*tél.* : *1313 331 000*) et à **Glasgow** (*tél.* : *1418 871 111*). S'y ajoutent ceux de Prestwick (*tél.* : *1292 479 822*), **Aberdeen** (*tél.* : *1224 722 331*), **Inverness** (*tél.* : *1667 464 000*) et **Dundee** (*tél.* : *1382 643 242*). Toute l'année, nombreuses correspondances vers les îles et les aéroports régionaux. Service *Airlink Express* direct en direction du centre-ville : autocars toutes les 7 min dans la journée, toutes les 20 min en soirée. De l'aéroport de Glasgow, autocars toutes les 15 à 30 min.

## CHANGE

Ce sont les banques qui offrent les taux de change les plus favorables. Change possible dans les aéroports, les grandes gares, les agences de voyages et certains grands hôtels, mais avec taxe administrative et commission. Certains établissements acceptent les chèques de voyage européen.

## CUISINE ET BOISSONS

D'excellents produits entrent dans la composition de la cuisine écossaise, notamment **l'agneau à tête noire, le bœuf Aberdeen Angus, le saumon,** frais ou fumé, et tout un éventail de gibier : **le faisan, le chevreuil, le cerf,** sans oublier **la fameuse grouse.** Entourée d'eau sur trois côtés, l'Ecosse est la spécialiste des poissons et des crustacés, avec une prédilection pour **les coquilles Saint-Jacques, les huîtres** et **les homards.** Le fameux *fish and chips* (poisson accompagné de frites) reste omniprésent et permet de se restaurer au moindre coût. Mais l'Ecosse décline des recettes plus élaborées, comme le *cullen shink* (soupe au haddock fumé), les *arbroath smokies* (églefins fumés), la tourte à la viande ou la fameuse panse de brebis farcie. **Les amateurs de fromage ne manqueront pas de savourer la production locale.** Les fruits rouges, comme les framboises de Blairgowrie ou les fraises de Fife, entrent dans la composition de desserts simples, mais souvent délicieux. **Attention aux horaires des repas, notamment à l'heure du dîner, servi tôt en province : de 18 h 30 à 20 h.** En ville, les restaurants indiens, pakistanais, chinois sont très nombreux et peu chers ; petit à petit, ils gagnent les zones rurales. A Edimbourg, et surtout à Glasgow, se multiplient les grandes tables, souvent d'inspiration française. Partout ou presque, **les petits déjeuners se révèlent somptueux** (Grande-Bretagne oblige !), avec une mention particulière pour le porridge, qui appartient à la tradition culinaire écossaise.

## Boissons

Café médiocre, thé remarquable : tout est dans l'ordre ! Les grands restaurants mettent un point d'honneur à posséder une excellente carte de vins français, souvent chers. **Les crus australiens, californiens, néo-zélandais sont plus abordables et réservent d'agréables surprises.** A table, on consomme beaucoup de **bière. Le pays en produit d'excellentes, comme la « real ale » ; tirée au tonneau, l'« export », brune et forte, est la plus populaire.** Elle est servie à la *pint* (un demi-litre). Quant au sacro-saint whisky, plus célèbre produit exporté par l'Ecosse, il se boit **sans glace,** qu'il soit *single* (pur malt) ou *blended* (pur malt et grain). On

*Whisky de malt et whisky d'assemblage constituent la première source locale de revenu à l'exportation.*

*Comme partout en Grande-Bretagne, le B&B est florissant, parfois dans des chaumières typiques.*

commande généralement un *dram,* c'est-à-dire un petit verre. Beaucoup moins connu, **le « glayva »**, liqueur traditionnelle à base des meilleurs whiskies écossais, conclut les repas en beauté.

## ÉLECTRICITÉ

240 volts. Prises mâles à fiches carrées pour prises femelles à fusibles incorporés de 3, 5 et 13 ampères. Adaptateurs en vente à l'aéroport.

## FANTÔMES

Un des fonds de commerce de l'Ecosse, apparu avec le mouvement romantique du XIXᵉ siècle et toujours d'actualité. Certains châteaux des Highlands et des Borders sont réputés pour leurs sarabandes nocturnes. **La présence d'un spectre assure une plusvalue à un bien immobilier.** Et elle donne des idées aux propriétaires de demeures anciennes. Depuis quelques années, beaucoup d'entre eux organisent des soirées fantômes et des *murder parties.*

## GROUSE

Très apprécié des gastronomes, ce lagopède dodu l'est plus encore des chasseurs. La saison cynégétique commence le 12 août, dit « jour glorieux » (*Glorious Twelfth*), pour prendre fin le 10 décembre. A cette occasion se retrouvent les meilleurs fusils de la planète. Les grands propriétaires des Highlands, sur les territoires desquels se déroulent les battues, exigent des droits de chasse exorbitants !

## HÉBERGEMENT

D'un discret B&B (*bed and breakfast*) à un fastueux château-hôtel, l'Ecosse décline toutes les formules d'hébergement. Traditionnellement, **le B&B connaît un grand succès**. Légèrement plus chères, **les pensions de famille** (*guest houses*), installées dans d'ex-demeures particulières, sont également très fréquentées et bon enfant. A l'autre bout de l'échelle, **les gentilhommières, manoirs, châteaux** offrent des séjours souvent somptueux (*country house hotel*), avec possibilité de jouer au golf ou de pêcher le saumon. **Il faut suivre, sans hésiter, la classification officielle des établissements écossais** (de une à cinq étoiles). Elle répond à des critères de qualité, et non d'équipement, ce qui apparaît comme une première mondiale. Les autorités écossaises publient quatre guides « *Where to stay ?* » facilitant le choix d'un hébergement.

## HEURE LOCALE

Une heure de décalage avec la France, la Suisse, la Belgique. Quand il est midi à Paris, il est 11 h à Edimbourg.

## HORAIRES D'OUVERTURE

**Magasins :** du lundi au samedi, de 9 h à 17 h 30 ou 18 h, voire plus tard en saison touristique. Dans les grandes villes, les boutiques restent souvent ouvertes jusqu'à 19 h ou 20 h le jeudi.
**Banques :** du lundi au vendredi, de 9 h à 16 h ou 17 h. Certaines ouvrent leurs portes le samedi matin.
**Pubs :** de 11 h à 14 h 30 et de 17 h à 23 h du lundi au samedi, de 12 h 30 à 14 h 30 et de 18 h 30 à 23 h le dimanche. Certains pubs restent ouverts le dimanche après-midi, d'autres tard le soir les vendredi et samedi. Généralement, tous les pubs arrêtent de prendre les commandes 45 min avant leur fermeture.
**Restaurants :** de 12 h à 14 h 30 et de 18 h à minuit en ville, fermeture du soir avancée à la campagne.
**Centres d'information touristique :** du lundi au samedi, de 9 h à 17 h, plus tard en saison. Dans les grandes villes, ils sont également ouverts le dimanche.

## INFORMATIONS TOURISTIQUES

L'Ecosse possède un réseau de près de 150 centres d'information touristique, répartis dans l'ensemble du pays. Ils disposent d'une documentation exhaustive : cartes, guides, brochures, etc. Ils peuvent se charger des réservations hôtelières et disposent d'un bureau de change. Souvent, leur personnel parle le français. On les repère à leur panneau « i ».

## MÉDIAS

*The Guardian, The Times, The Daily Telegraph* : tous les grands quotidiens britanniques sont naturellement au rendez-vous, complétés par de nombreux journaux écossais. *The Scotsman* d'Edimbourg et *The Herald* de Glasgow apparaissent comme les plus complets. Les quotidiens français nationaux, plus quelques magazines, sont en vente dans les principales villes et les centres touristiques, mais avec 24 ou 48 h de retard. Nombreuses radios locales : la principale, *Radio Scotland* (92-94.7 FM), foisonne d'informations. Deux chaînes de télévision britanniques à suivre en priorité : *BBC Scotland* et *Channel 4*. Les hôtels câblés captent *TV5*.

## PATRIMOINE

Privé, le *National Trust of Scotland* accomplit une tâche remarquable en sauvegardant, restaurant et entretenant une centaine de parcs et de châteaux. Public, *Historic Scotland* gère plus de 300 monuments dans tout le pays. Les sigles de ces deux organismes : *NTS* et *HS,* bien visibles à l'entrée des sites, constituent autant de références et peuvent être suivis les yeux fermés.

## POSTE ET COMMUNICATIONS

Les postes sont ouvertes de 9 h à 17 h 30 du lundi au vendredi, jusqu'à 12 h 30 le samedi. Dans les grandes villes, ouverture en continu. Comme les boîtes aux lettres, **les panneaux de la poste sont rouges.** Les timbres sont en vente dans les postes, mais aussi dans les stations-service et dans les supermarchés. Certaines cabines téléphoniques fonctionnent avec des pièces, d'autres n'acceptent que les cartes disponibles dans les bureaux de poste. Communications moins coûteuses de 20 h à 8 h du matin et le week-end. Indicatifs des principales villes : Aberdeen 1224, Dundee 1382, Edimbourg 131, Glasgow 141, Inverness 1463, Perth 1738, St Andrews 1334, Ullapool 1854. Pour appeler la France, composer le 0033 suivi du numéro du correspondant sans le 0 initial. L'utilisation d'Internet est très répandue.

## POURBOIRES

Pas de règle stricte, mais l'habitude veut qu'on laisse un pourboire aux serveurs et aux chauffeurs de taxi. En revanche, on offre un verre aux barmen plutôt que de leur abandonner quelques piécettes.

## RANDONNÉE PÉDESTRE

Pistes forestières, sentiers maritimes, itinéraires de montagne : **pour les marcheurs, l'Ecosse constitue un véritable paradis. Le Queen Elizabeth Forest Park** ou le **Galloway Forest Park** conviennent, à merveille, aux promenades familiales. Plus ardus, le **West Highlands Way** (153 km), **le Speyside Way** (135 km) ou le **Southern Upland Way** (341 km) proposent des randonnées de plusieurs jours au cœur d'une nature aussi variée que préservée. **Les sommets des Highlands,** eux, attirent les randonneurs chevronnés et les alpinistes ; ils sont 505 au total, classés en *munros* (plus de 914 m) et en *corbetts* (entre 762 m et 914 m). Des **festivals de marche à pied** sont organisés, pendant tout l'été, dans les Highlands, le Royal Teeside ou les Scottish Borders.

## SÉCURITÉ

L'Ecosse est un pays sûr. Dans les grandes villes, il faut simplement prendre quelques précautions élémentaires. Ainsi, bien fermer une voiture en stationnement et ne rien y laisser d'apparent. Ou ne pas abandonner un bagage sans surveillance. Ou éviter les pubs fréquentés par les supporters des équipes de foot-

*Le portable n'a pas réussi à éliminer toutes les vieilles cabines téléphoniques chères à l'outre-Manche !*

Le lancer de tronc (« *tossing the caber* »), clou des *Highlands Games*, oppose amateurs et professionnels.

ball, très excités les soirs de match et prompts à faire le coup de poing.

## SPORTS

L es Ecossais vivent les matchs de **football** et de **rugby,** les deux sports nationaux, avec une même passion. **Le hockey sur gazon, le curling, le golf, l'équitation,** également très suivis, font naître des réactions plus modérées. Dans les pubs, **les fléchettes** tiennent toujours le haut du comptoir. Les Ecossais abordent tous les sports et tous les jeux avec beaucoup de sérieux. A commencer par les célèbres *Highlands Games* qui, entre lancer de tronc, tir à la corde et jet de pierre, répondent à des traditions séculaires.

## TRANSPORTS INTÉRIEURS

### Avion

Bon réseau intérieur de liaisons quotidiennes reliant, toute l'année, les îles et plusieurs aéroports régionaux aux principaux aéroports du pays : Edimbourg, Glasgow, Aberdeen et Inverness. La majorité des vols intérieurs sont assurés par *British Regional Airlines* (*tél. : 845 77 33 77*). La compagnie propose notamment un forfait permettant d'effectuer cinq vols dans les Highlands et leurs îles, dont les Hébrides, les Orcades et les

Shetland : le *Highlands Rover Pass.* A réserver sept jours à l'avance.

### Train

Nombreuses liaisons express entre Edimbourg et Glasgow (48 min), mais aussi, à partir de ces deux villes, vers Stirling, Perth, Dundee, Aberdeen et Inverness. Plusieurs cartes touristiques permettent de voyager au meilleur prix, dont la *Freedom of Scotland Travelpass.* L'Ecosse possède une solide culture ferroviaire. On peut découvrir le pays à bord de vieux trains à vapeur, comme le *Jacobite,* qui relie quotidiennement Fort William à Mallaig pendant l'été. On peut aussi emprunter le luxueux *Royal Scotsman,* qui circule à travers les Highlands d'avril à fin octobre.

### Voiture

Comme dans le reste du Royaume-Uni, **la conduite s'effectue à gauche.** Les autoroutes écossaises sont gratuites (sigle « M »), mais il faut acquitter un péage pour franchir certains ponts : ceux de Forth, Tay, Erskine et Skye. Vitesse limitée à 48 km/h en agglomération, 96 km/h sur route à voie unique, 112 km/h sur route à double voie et sur autoroute. La plupart des postes d'essence sont en self-service et ouverts 24 h/24. **La priorité à droite ou à gauche n'existant pas, il convient** de se conformer aux panneaux et aux marquages au sol. La plupart des compagnies de location de voiture exigent que les chauffeurs soient âgés de 23 ans au minimum et de 75 ans au maximum.

## Autocar

Le réseau est très dense. Ainsi *Scottish Citylink*, la principale compagnie, dessert-elle 190 villes (*tél. : 8705 5050 50*). Nombreux forfaits possibles pour une libre circulation à travers tout le pays.

## Ferry

Entourée d'eau et possédant 130 îles habitées, l'Ecosse s'est dotée d'un réseau de ferries très satisfaisant. Beaucoup des bateaux transportent, à la fois, passagers à pied et en voiture. En été, il est fortement conseillé, et souvent obligatoire, de réserver à l'avance son passage.

# USAGES ET POLITESSE

Une solide réputation d'avarice colle à la peau des Ecossais. **C'est surtout par nécessité qu'ils se sont longtemps montrés économes,** notamment dans les Highlands. Comme partout en Grande-Bretagne, **le pub est un lieu de rencontre privilégié,** un pivot de la vie sociale. Un fort sentiment national anime tous les Ecossais, même si, historiquement, le Sud est plus anglophile que le Nord. Ici, on ne plaisante pas avec les sentiments religieux. Les Ecossais possèdent aussi un fort sens civique et sont très respectueux de leur environnement. Pas question de jeter un papier dans la rue, sous peine d'amende ! La ponctualité figure parmi leurs vertus cardinales. Mais, derrière leur réserve naturelle, tous cachent des trésors d'hospitalité et d'humanité.

| | |
|---|---|
| Une entrée dans un musée | 1 £ / 1,13 € |
| Une bouteille d'eau | 0,80 £ / 0,90 € |
| Un verre de whisky | 1,40 £ / 1,59 € |
| Une pinte de bière | 1,90 £ / 2,15 € |
| Une visite de château | 5 £ / 5,65 € |
| Un déjeuner dans un pub | 5 £ / 5,65 € |
| Un permis de pêche à la truite pour une journée | 5 £ / 5,65 € |
| Un aller-retour Edimbourg/Glasgow en autocar | 7 £ / 7,91 € |
| Une partie de golf sur un terrain municipal | 10 £/ 11,30 € |
| Une journée d'équitation | 25 £ / 28,25 € |

Combien ça coûte ?

# Un pays,
# une histoire,
# des hommes

# Géographie, faune et flore

ont encore accentué le tranchant. Bien connu des amoureux de la nature, **l'ouest des Highlands,** entre ses côtes découpées et ses sommets arides, reflète le caractère tourmenté de la terre d'Ecosse, profondément pénétrée par la mer du Nord à l'est et par l'Atlantique à l'ouest. **Très peu de points se situent à plus de 100 km de l'océan.** Paradoxalement, ce pays de creux et de bosses offre souvent un visage apaisant, entre la bruyère qui pousse au pied

L'Ecosse est le pays de toutes les montagnes. La plus grande partie de son territoire se situe au-dessus de 250 m d'altitude. Son point culminant, **le Ben Nevis,** atteint 1 344 m. Il possède de nombreux concurrents, entre **le Braerlach** (1 295 m) et **le Ben Macdhui** (1 309 m). La hauteur est relativement modeste, et le rendu très impressionnant. Des plateaux arctiques et alpins des **Cairngorms** aux pics solitaires des îles, en passant par les vertes collines des **Borders,** les monts, déchiquetés ici, arrondis là, sont indissociables des horizons écossais. En cinq cents millions d'années, les mouvements de la croûte terrestre ont façonné basaltes et roches sédimentaires. Les premiers, plus durs, ont pris le pas sur les secondes. D'où des paysages souvent taillés à la serpe, dont les glaciations du quaternaire

## Carte d'identité de l'Ecosse

**Nom** Ecosse (Scotland)

**Capitale** Edimbourg

**Superficie** 78 783 km²

**Population** 5 062 011 habitants

**Densité** 66 habitants au km²

**Nature du régime**
Démocratie parlementaire

**Chef de l'Etat**
La reine Elisabeth

**Premier ministre**
Alex Salmond

**Langues officielles**
anglais, gaélique, scots.

**Religion** Presbytérienne à 85 %

**Ressources principales**
Agriculture, pêche, pétrole, hydroélectricité, tourisme.

**PNB** 14651 £ par habitant

de ses montagnes, la mousse qui flotte sur ses tourbières et les riantes vallées du Sud. Rocheuse et mystérieuse, il arrive même à sa côte de s'adoucir un peu, avec de longues plages de sable fin adossées à des dunes, comme celles **d'Aberdeen** ou de **Nairn. Le point d'orgue, ce sont les lacs, les lochs.** Terrestres ou marins, ils demeurent fidèles à leur profondeur vertigineuse et à leurs brumes de contes et légendes. **On en compte plus de 30 000,** en majorité au nord du pays. **En Ecosse, la campagne couvre 95 % du territoire.** Les Lowlands drainent la majeure partie de la population, dans trois des quatre principales villes : **Edimbourg, Glasgow et Dundee.** Au premier abord, le pays donne l'impression d'une vaste étendue déserte et sauvage. En fait, il grouille de vie.

## Les plus grands mammifères aquatiques

En 1980, l'Ecosse a été classée par *The World Conservation Strategy* comme zone prioritaire parmi les grandes réserves naturelles du monde. Certes, l'ours brun, le renne, l'élan, le sanglier même, en ont disparu. **La faune écossaise présente, pourtant, une variété et une richesse peu communes en Europe.** Sur le littoral, entouré d'une myriade d'îles et d'îlots, évoluent quelques-uns des plus grands mammifères marins de la planète : **l'orque, le rorqual, le cachalot, plus des baleines, des dauphins et des phoques.** Ses hautes falaises – jusqu'à 300 m – constituent un habitat de choix pour de nombreux oiseaux de mer, **de la mouette tridactyle au guillemot à miroir et du fou de Bassan au cormoran huppé.** A elles seules, les Shetland abritent, bon an mal an, 50 000 **macareux.** Dans le Sutherland, chante **le chevalier aboyeur.** Dans le Caithness, **le pluvier doré. Les aigles** planent dans le ciel de Skye. L'hiver venu, **les oies à bec court** se rassemblent sur les lochs. Et **les coqs de bruyère** prolifèrent grâce au reboisement. A ce formidable monde de la plume s'ajoute celui, non moins spectaculaire, des nageoires. D'un lac glacé à une rivière cascadante, des **saumons** de taille record et d'innombrables **truites** attendent les pêcheurs sportifs qui viennent ici du monde entier.

## Une écologie tous azimuts

Depuis longtemps, les Ecossais ont pris de nombreuses mesures de protection de l'environnement, notamment à travers le *National Trust of Scotland (NTS)* et le *Scottish Natural Heritage,* qui gèrent la plupart des réserves naturelles. Leurs efforts sont récompensés. Les plantes arctiques et alpines des versants escarpés ou les parterres de fleurs sauvages qui ourlent la côte ouest témoignent d'un environnement triomphant. Quant à la politique écossaise de reboisement, elle constitue un modèle du genre. La plupart des forêts ont été abattues au fil des siècles, pour le bois de chauffe et de construction. Les Ecossais ne se contentent pas de replanter les friches, ils retrouvent les variétés originelles, comme **l'aubépine** ou l'aulne.

# Les clés du passe

*Ecossais et Anglais ont reçu la même île en partage, avec une géographie différente. Indissociable, leur histoire est souvent teintée de violence, d'incompréhension, de rancœur. Pour les deux peuples, le troisième millénaire s'ouvre, pourtant, sur une note d'espérance.*

## LES FROIDURES DE LA PRÉHISTOIRE (DE 8000 À 7000 AV. J.-C.)

La peau de bête avant le kilt : **l'Ecosse a une vie dès le mésolithique.** sept mille ou huit mille ans avant Jésus-Christ, une population nomade chasse et pêche déjà dans ses marais et au long de sa côte escarpée. Il semble que l'Allemagne ait fourni le plus gros du flux migratoire. La Scandinavie la suit de près. La dernière grande glaciation prend à peine fin, les conditions climatiques sont rudes, voire hostiles. **Le socle de peuplement de l'Ecosse évolue lentement.** Par rapport à leurs contemporains du bassin méditerranéen, les premiers colons constituent des sociétés très primitives. Il faut attendre trois ou quatre mille ans pour qu'apparaissent, avec le réchauffement du pays, les premières cultures de céréales, les premiers élevages de porcs et de moutons, les premières techniques de tissage, de tannage, de poterie. **A partir du VIᵉ siècle avant l'ère chrétienne, à la suite des Pictes, se succèdent des vagues celtiques** en provenance d'Europe.

*Les croix de pierre ne sont pas seules à témoigner de la culture celtique, actuellement en pleine renaissance.*

## L'ÉCHEC DE ROME (DU Ier SIÈCLE AV. J.-C. AU IVe SIÈCLE APR. J.-C.)

Au sommet de sa puissance, **César envahit l'Ecosse en deux expéditions, en 55 et en 54 av. J.-C.** La conquête romaine est une simple promenade de santé mais, très vite, la population s'organise pour lutter contre un envahisseur qui ne réussira jamais à l'assimiler. Régulièrement harcelés par les Celtes, les Romains érigent deux remparts d'est en ouest : les fameux **murs d'Hadrien et d'Antonin,** toujours visibles de nos jours, le premier au sud de l'actuelle frontière écossaise, le second de la Clyde au Forth. Ces protections sont spectaculaires, mais insuffisantes. De plus en plus malmenée, **l'armée romaine quitte l'île en 410,** ne laissant que peu de traces de son passage. L'Ecosse y gagne provisoirement un nom latin : Caledonia. **L'heure des Scots a sonné.**

## LA NAISSANCE D'UNE NATION (498-1328)

Les Scots, venus d'Irlande, s'installent d'abord sur la côte ouest de l'Ecosse et fondent le royaume de Dalriada, dans l'Argyll et les îles avoisinantes. Avec eux s'ouvre une longue période que les historiens anglo-saxons baptisent le *Dark Age*. **Obscurs, ces cinq ou six siècles sont néanmoins capitaux pour l'Ecosse, puisque s'y réalise un début d'unité du territoire.** Les luttes sont d'abord violentes entre peuples « cousins » : les Scots, les Britons de Strathclyde, les Angles de la Northumbrie, les Pictes du Nord. A partir du VIIIe siècle se multiplient les incursions vikings. En 844, **Kenneth MacAlpin** profite de la confusion générale et de la décomposition des chefferies pictes pour affirmer la suprématie des Scots. **C'est le premier roi d'Ecosse.**

### L'intégration viking

D'abord baptisé Alba, le royaume prend finalement le nom de Scotia. Kenneth MacAlpin, pas plus que ses successeurs, n'a le temps de s'endormir sur ses lauriers. Les Vikings, qui

## Saint Columba, premier unificateur

Les Irlandais sortent des saints de leur île comme les magiciens des lapins de leur chapeau. En abordant la terre écossaise, les princes scots arrivèrent avec quelques moines dans leurs bagages. Le plus célèbre s'appelait Columba. Il venait avec la ferme volonté d'évangéliser la Caledonia. Au cours de ses trente-quatre années d'apostolat, il réussit plutôt bien dans sa tâche : lui revient la fondation d'une soixantaine d'églises et de monastères à travers le pays. L'homme y gagna sa sanctification. L'Ecosse sa christianisation : à la fin du VIIe siècle, toutes les composantes de sa population étaient unies par une même religion.

occupent déjà les Orcades, les Shetland et les Hébrides, se rapprochent dangereusement des côtes. Au nord et au sud-ouest, ils remontent les rivières sans coup férir. Les combats, escarmouches ou boucheries se multiplient, qui tournent à l'avantage des Scandinaves. **Jusqu'au Xe siècle, les Vikings s'implantent régulièrement en bord de mer**, notamment à Caithness et à Dumfries. **Ils sont rapidement assimilés par les populations présentes avant eux.**

## Le virage anglo-normand

Le Scot **Malcom III Canmore** est sacré roi en 1058. L'homme est à la fois habile et énergique. Avec lui, le pays accède au calme et à la prospérité, même si son développement apparaît plus lent que celui de la chrétienté en général. **Margaret, son épouse,** accroît le prestige de la cour. C'est une princesse anglo-saxonne. L'anglais devient la langue des pouvoirs, et politique et religieux, du royaume. Avec le couple royal s'achève la période purement celtique de l'Ecosse. Ses héritiers poursuivent son anglicisation culturelle, en même temps qu'ils réorganisent la société sur le modèle féodal, avec l'octroi de chartes royales aux villes nouvelles. **David Ier, notamment, n'hésite pas à distribuer des terres et des charges à des nobles anglais.** De nouveaux barons apparaissent, tels les Fitz-Alan, Cumming ou Bruce, d'origine normande. Profondément anglophile, David Ier n'en proclame pas moins, haut et fort, l'indépendance de l'Ecosse. Equilibre d'autant plus précaire que l'Angleterre rêve d'établir définitivement sa suzeraineté sur le pays. La crise de succession, qui s'ouvre en 1286, conduit les Anglais à intervenir en Ecosse.

## Le retour à l'indépendance

La lignée des Canmore s'interrompt. Deux cousins se disputent le trône : **Robert Bruce** et **John Baillol**. Le pays sombre dans l'anarchie. Edouard Ier d'Angleterre se pose en arbitre et choisit Baillol. Proclamé roi à Berwick, celui-ci prête serment de fidélité à Edouard à Newcastle : « Je, Jehan de Baillol, roi d'Ecosse, deviens votre homme lige de

## La Vieille Alliance, une longue amitié

Le général de Gaulle se plaisait à rappeler qu'elle constitue la plus vieille alliance européenne : *The Auld Alliance* fut signée entre l'Ecosse et la France en 1295. Plusieurs fois renouvelée, elle conduisit les deux pays à combattre l'Angleterre côte à côte, mais aussi, dès le XVIe siècle, à ouvrir les universités françaises aux étudiants écossais. Marie Stuart passa son enfance à Saint-Germain-en-Laye et le Royal Scots Regiment fit partie de la garde rapprochée de Louis XIII. Accord politique et militaire, la Vieille Alliance est aussi une longue histoire d'amitié. En 1995, son sept-centième anniversaire fut fêté avec émotion par les deux peuples.

*A Scone Palace, les rois d'écosse se firent couronner sur la pierre de la Destinée jusqu'au XIIIᵉ siècle.*

tout le royaume d'Ecosse avec ses appartenances… » C'est, sans ambiguïté, le discours d'un vassal. L'Angleterre est parvenue à ses fins, mais son arrogance et sa tyrannie exaspèrent vite la population. John Baillol finit par se révolter. On l'emprisonne à la tour de Londres. Apparaît, alors, un chevalier inconnu. C'est aussi un homme des tempêtes : **William Wallace,** interprété, à l'écran, par Mel Gibson *(Braveheart).* Porté par la colère et le patriotisme ambiants, **il organise la résistance et bat l'armée d'Edouard au pont de Stirling en 1297.** L'Angleterre reprend la main, mais l'espoir a germé. Un autre **Robert Bruce,** petitfils du rival de John Baillol, est couronné à Scone en 1306. L'homme a de la poigne. Il réussit, à la fois, à obtenir la soumission des différents fiefs écossais et à bouter l'Anglais hors des frontières du pays. Sa victoire de Bannock-burn (1314) est restée célèbre. **En 1328, le traité de Northampton reconnaît l'indépendance de l'Ecosse.**

## LA SAGA DES STUARTS (1371-1692)

L es successeurs de Robert Bruce manquent d'envergure, et les troubles se succèdent. Quand **les Stuarts** (du clan Stewart) arrivent au pouvoir, l'Ecosse est exsangue. Robert II est le premier de la prestigieuse lignée à monter sur le trône, le 26 mars 1371. **La dynastie des Stuarts va durer près de trois cent cinquante ans et, au prix de mille rebondissements tragiques, unir solidement l'Ecosse à l'Angleterre.** Avec Robert II, puis avec les quatre Jacques qui lui succèdent, le pays retrouve, non sans mal, ordre et richesse, même s'il demeure une mosaïque de grands fiefs plus ou moins turbulents. Avec la fin du Moyen Age s'ouvrent les premières universités, à St Andrews, à Glasgow, à Aberdeen. Apparaissent les grands châteaux, qui rappellent ceux de la vallée de la Loire. S'épanouit la littérature de langue écossaise *(Scots language).* L'Eglise, elle, s'affirme plus que jamais comme l'une des principales forces du pays.

### La Réforme triomphante

En épousant **Marguerite Tudor,** sœur du futur **Henri VIII d'Angleterre, Jacques IV** favorise le rapprochement entre les deux royaumes. Une lune de miel éphémère. Le souverain écossais s'allie, en effet, aux Français, en guerre contre les Anglais. Il est vaincu et tué à la bataille de Flodden (1513). A genoux, **l'Ecosse reçoit, de plein fouet, les idées calvinistes,** qui se répandent rapidement à partir de 1550. **John Knox**, leur grand propagateur, encourage les émeutes. Son discours séduit une grande partie de l'aristocratie, qui instaure l'Église réformée, dite presbytérienne, en 1560. Marie Stuart abdique, à la fois sous les coups de boutoir de la Réforme et la pluie de scandales qui entachent son règne. Elle se réfugie en Angleterre, auprès de sa cousine et rivale **Elisabeth I$^{re}$**. Celle-ci la fait emprisonner, puis exécuter en 1587. Un mythe est né.

## L'union des couronnes

En 1603, Elisabeth I$^{re}$ meurt sans descendance. Ironie de l'histoire, c'est **Jacques VI**, roi d'Ecosse et... fils de Marie Stuart, qui monte sur le trône d'Angleterre. Il prend le nom de Jacques I$^{er}$ et s'installe à Londres avec sa cour. **L'union des couronnes est consommée.** L'Ecosse, elle, reste aux prises avec les conflits religieux et souffre de l'absence de son souverain. Le nouveau roi ménage protestants et catholiques. Pas Charles I$^{er}$, son fils et successeur, qui tranche pour la liturgie anglicane et la prépondérance des évêques. Le pays bascule dans la rébellion.

## Luttes fratricides

**En 1638, les Ecossais signent un National Covenant rétablissant l'ordre presbytérien.** En Angleterre, rien ne va plus entre le Parlement et Charles I$^{er}$. Profitant de cette tension, les covenantaires (*covenanters*) s'allient aux parlementaires contre le roi. Guerre civile annoncée. Les forces royalistes sont battues à Naseby, le 14 juin 1645, par les troupes **d'Oliver Cromwell**. Les Highlanders, avec **le marquis de Montrose** à leur tête, prennent fait et cause pour Charles I$^{er}$. Ils sont cruellement défaits à Philiphaugh, le 13 septembre 1645. Charles I$^{er}$ est exécuté quatre ans plus tard, alors que Cromwell se pose en maître absolu de l'Angleterre. Occupée par les Anglais de 1651 à 1660, **l'Ecosse est contrainte et forcée de s'unir au Commonwealth.**

## Le massacre de Glencoe

La chute du très catholique **Jacques VII d'Ecosse** (Jacques II d'Angleterre) sonne le glas de la dynastie des Stuarts. Avec, en 1689, l'accession au trône de **Guillaume d'Orange** et son épouse Marie, fille de Jacques VII, l'Eglise écossaise est reconnue comme distincte et indépendante de celle de

l'Angleterre. La reine est une femme effacée. **Guillaume, lui, possède une forte personnalité et gouverne en solitaire.** Sans renier son enga-

*Charles I$^{er}$ fut décapité en 1649, après sa défaite face à l'armée du Parlement, conduite par Cromwell.*

gement calviniste, il s'irrite des conflits religieux qui déchirent le pays depuis près d'un siècle et souhaite l'apaisement. Ses subordonnés, eux, sont beaucoup plus vindicatifs. En 1692, ils fomentent **l'assassinat du clan des MacIan**, soupçonnés d'être jacobites, c'est-à-dire favorables aux Stuarts. **L'épisode, baptisé « massacre de Glencoe », est encore très présent dans la mémoire collective des Highlands et de l'Ecosse tout entière.**

## L'ACTE D'UNION (1700-1880)

L'Ecosse est très affaiblie par ses luttes religieuses, ses querelles de succession, ses échecs commerciaux. Ses structures sociales sont figées. Sa monnaie est dévaluée. Economiquement, elle se trouve à la merci de l'Angleterre. Au début du XVIIIe siècle, **c'est vraiment devenu un pays pauvre.** Son revenu annuel est de 160 000 livres sterling, contre 5,7 millions de livres aux Anglais. **En 1707 est votée la fusion des Parlements écossais et anglais en un Parlement de Grande-Bretagne.** C'est l'acte d'Union, ou traité d'Union. Désormais, le Parlement de Westminster est seul maître du jeu. L'économie écossaise se redresse rapidement. Les troubles ne cessent pas pour autant. C'est que les jacobites espèrent toujours le retour d'un roi Stuart. Les soulèvements s'enchaînent. Le plus célèbre est conduit par le prince Charles-Edouard, en 1745 : le fameux **Bonnie Prince Charlie,** soutenu par les catholiques et les Highlanders. Comme les précédents, il tourne court.

### Le drame des Hautes Terres

**Pour les Highlands, sonne l'heure d'une terrible répression.** Les clans sont démantelés, les armes prohibées, les droits coutumiers abolis, les tartans, plaids et autres kilts interdits. Le but est évident : effacer la culture celtique et intégrer, par la force, les Highlands à la Grande-Bretagne. A partir de 1790, les Highlanders sont chassés des vallées de l'intérieur, notamment celles du Sutherland. Cette politique d'éviction est connue sous le

*La reine Elisabeth Ire, cousine et rivale de Marie Stuart, fit exécuter cette dernière le 8 février 1587.*

# Victoria, agent touristique des Highlands

Tous les ans, mon cœur devient plus attaché à ce cher paradis : ainsi s'exprime, dans son journal de voyage *(Leaves from a Journal of our Life in the Highlands),* la reine Victoria à propos du château de Balmoral. Avec son époux, le prince Albert, elle fit construire cette demeure néo-gothique en 1855, au cœur des Grampians, scellant ainsi la réconciliation royale avec les Hautes Terres. A intervalles réguliers, elle y menait une existence paisible et familiale qui l'enchantait. Son enthousiasme fut communicatif. Grâce à elle, les Highlands devinrent une destination touristique à la mode. Ironie du destin : c'est à Balmoral que son cher mari contracta la bronchite qui l'emporta.

nom de *Clearances*. **Beaucoup de ses victimes choisissent l'exil. Tandis que les Lowlands s'enrichissent, les Highlands se dépeuplent.** Il faut attendre la seconde moitié du XIXᵉ siècle pour que les Hautes Terres retrouvent une partie de leur identité perdue, grâce au mouvement romantique et aux romans de Walter Scott.

## A L'HORIZON NATIONALISTE (1880-1990)

D'abord spectaculaire, notamment à Glasgow, le développement industriel s'essouffle au début du XXᵉ siècle. **L'entre-deux-guerres conduit à une crise économique grave et persistante.** Les difficultés sociales qui en découlent entraînent un regain nationaliste. En 1934, voit le jour le **Scottish National Party (SNP).** Son influence va grandissant et, en 1970, son premier représentant est élu à la Chambre des communes. En 1974, il obtient 11 sièges. Le gouvernement central, conservateur dans les années 1970 et 1980, multiplie les atermoiements. **Mrs Thatcher,** notamment, s'oppose fermement à tout éclatement du Royaume-Uni. En Ecosse, le mécontentement grandit.

### « Bond, James Bond »

Fidèle à ses engagements électoraux, **Tony Blair,** nouveau chef du Parti travailliste, crève l'abcès. **En 1997, le référendum sur la restauration du Parlement d'Edimbourg recueille une majorité écrasante : 74,3 % des votants répondent « oui ».** La nouvelle assemblée, inaugurée par la reine deux ans plus tard, est dotée de nombreux pouvoirs. Pas assez, cependant, pour le SNP, qui vise l'indépendance pure et simple de l'Ecosse. Dans sa démarche, il bénéficie d'un soutien de poids : l'agent 007 lui-même, autrement dit le populaire acteur **Sean Connery,** très attaché à la spécificité de son pays. En 2007, le SNP obtient la majorité au Parlement.

*Partout, l'Ecosse honore les soldats.*
*Le Scottish National War Memorial d'Edimbourg est célèbre.*

# Repères chronologiques

**De 8000 à 7000 avant J.-C. :** peuplement de l'Ecosse, civilisation très primitive.

**VIᵉ siècle av. J.-C. :** vagues celtiques.

**Iᵉʳ siècle av. J.-C. :** Jules César débarque en Ecosse.

**IIᵉ siècle apr. J.-C. :** construction des murs d'Hadrien et d'Antonin.

**410 :** les Romains quittent le pays.

**498 :** invasion des Scots venus d'Irlande.

**563 :** saint Columba prend pied sur l'île d'Iona.

**Fin du VIIIᵉ siècle :** début des raids vikings.

**844 :** Kenneth MacAlpin, porté sur le trône par les Scots et par les Pictes, devient le premier roi de l'histoire écossaise.

**1124-1153 :** David Iᵉʳ assoit le prestige de la monarchie.

**1295 :** signature de *The Auld Alliance* entre l'Ecosse et la France.

**1297 :** soulèvement populaire conduit par William Wallace.

**1314 :** bataille de Bannockburn, les Anglais sont défaits par Robert Bruce.

**1328 :** le traité de Northampton reconnaît l'indépendance de l'Ecosse.

**1371 :** accession au trône des Stuarts.

**1558 :** Marie Stuart épouse le dauphin de France.

**1560 :** John Knox fonde l'Eglise presbytérienne.

**1587 :** exécution de Marie Stuart.

**1603 :** union des couronnes écossaise et anglaise, avec l'accession de Jacques VI au trône d'Angleterre.

**1638 :** pacte pour le maintien de l'Eglise presbytérienne (*The National Covenant*).

**1651 :** après la campagne victorieuse de Cromwell, l'Ecosse adhère au Commonwealth.

**1660-1690 :** guerres de religion.

**1692 :** massacre de Glencoe, dans les Highlands.

**1707 :** les royaumes d'Ecosse et d'Angleterre, dont les Parlements fusionnent, sont définitivement réunis par l'acte d'Union.

**1715 :** refusant l'acte d'Union, les jacobites se soulèvent.

**1745 :** à la tête des jacobites, Bonnie Prince Charlie est défait à la bataille de Culloden.

**1790 :** ouverture du canal du Forth à la Clyde.

**De la fin du XVIIIᵉ au milieu du XIXᵉ siècles :** répression menée contre les Highlanders (*The Clearances*), beaucoup émigrent.

**1843 :** scission dans l'Eglise d'Ecosse.

**1886 :** *The Crofters Act* garantit aux métayers leur maintien sur les terres qu'ils louent.

**1900 :** fondation du Parti travailliste (Labour Party).

**1934 :** fondation du Parti nationaliste écossais (Scottish National Party).

**1945 :** élection du premier député issu du Scottish National Party.

**1952 :** Ian Fleming crée James Bond.

**1967 :** premiers forages pétroliers en mer du Nord.

**1990 :** Glasgow, Ville européenne de la culture.

**1997 :** référendum approuvant la restauration du Parlement écossais.

**1999 :** élection du Parlement et mise en place d'un exécutif.

**2007 :** Le SNP devient le parti le plus important de l'Assemblée écossaise.

# Personnages célèbres

## Saint Columba
### (VIe siècle)

Ce moine irlandais est à l'origine de la christianisation des îles Britanniques.

## Macbeth (XIe siècle)

Personnage d'ascendance royale dont on ne sait pas grand-chose. En sublimant son existence, Shakespeare en a fait un héros à l'échelon planétaire. Il repose sur l'île d'Iona.

## Robert Ier Bruce
### (1274-1329)

A la tête de la résistance écossaise, il anéantit les forces anglaises et arracha à l'Angleterre l'indépendance de son pays.

## Marie Stuart
### (1542-1587)

Elle n'a que six jours quand meurt son père, Jacques V. Mariages désastreux, règne chaotique, intrigues en tout genre, exil, emprisonnement, évasion, décapitation : la vie de la séduisante reine d'Ecosse est un roman. Les dramaturges ne se sont pas privés de l'exploiter.

## Charles-Edouard Stuart (1720-1788)

Plus connu sous le nom de Bonnie Prince Charlie, c'est une des figures romantiques de l'Ecosse. Homme plein de charme et chef de guerre courageux des jacobites, sa tête fut mise à prix par les Anglais. C'est déguisé en femme qu'il réussit à s'exiler à Skye.

## Walter Scott
### (1771-1832)

Avocat de formation, il se passionne pour les légendes écossaises, dont il recueille la tradition orale. Son œuvre, à la fois poétique, historique et romanesque, contribua à réhabiliter l'image des Highlands dans l'esprit de ses très nombreux lecteurs.

## David Livingstone
### (1813-1873)

Missionnaire et grand voyageur, il parvient au Zambèze et aux chutes Victoria, avant de chercher les sources du Nil avec Stanley.

## Arthur Conan Doyle
### (1859-1930)

Né à Edimbourg, ce médecin passionné de spiritisme est l'auteur d'une importante œuvre littéraire, surtout historique. Mais c'est à Sherlock Holmes qu'il doit la postérité.

## Charles Rennie Mackintosh
### (1868-1928)

Architecte et décorateur, il se distingue par sa rigueur et l'originalité de ses combinaisons entre lignes verticales et lignes horizontales. C'est un des plus brillants représentants de l'Art nouveau.

## Sean Connery
### (né en 1930)

Né à Edimbourg, ce célèbre acteur est aussi le porte-drapeau de la cause nationaliste écossaise.

# Regards actuels

*Si le pays souffre de l'effondrement de son industrie traditionnelle, il dispose de nombreux atouts économiques, tels que le pétrole de la mer du Nord, l'électronique ou le tourisme. Son autonomie accrue et son identité rendue, il paraît bien armé pour affronter le troisième millénaire.*

## ÉCONOMIE

L'industrie lourde fit la richesse de l'Ecosse victorienne. Elle s'éroda à partir des années 1920. **Aujourd'hui, elle est en plein déclin.** Les mines ferment leurs portes les unes après les autres, qu'elles soient de charbon ou de plomb. Les fonderies et les aciéries végètent. Les usines automobiles de Linwood et de Bathgate ne sont plus qu'un souvenir, à l'instar des prestigieux chantiers navals de la Clyde. Bien des Ecossais imputent ces catastrophes en chaîne à la politique libérale menée par **Margaret Thatcher** et, dans une moindre mesure, par **John Major**. Le « thatchérisme » n'a jamais caché sa volonté d'éliminer les **lame ducks** (« canards boiteux »). En fait, l'effondrement du secteur industriel est également lié à **la vétusté de l'outil de travail**, rendant difficiles les restructurations nécessaires.

### Une diversification prometteuse

Tout, d'ailleurs, n'a pas été négatif dans la démarche des conservateurs, à commencer par le rapide développement des énergies hydraulique et nucléaire. Les centres de recherche de très haut niveau se sont multipliés.

*Hauturière ou côtière, la pêche en mer compte parmi les activités traditionnelles, surtout au nord du pays.*

L'exploitation du pétrole de la mer du Nord assure d'enviables retombées financières à Aberdeen et aux Shetland. Entre Dundee et Glasgow, la « Silicone Glen » constitue une des plus importantes concentrations d'électronique au monde, après les Etats-Unis et le Japon. A l'orée du troisième millénaire, **le pays s'oriente vers une industrie à la fois plus légère et plus diversifiée** – chimique, pharmaceutique, mécanique –, notamment dans la région d'Edimbourg. Un choix qui porte ses premiers fruits, même si le taux de chômage demeure élevé dans les ex-foyers industriels.

## Un tourisme actif

L'Ecosse accueille, chaque année, plus de **12 millions de touristes**. La courbe est exponentielle. Sans conteste, le pays possède une image forte, entre des paysages grandioses et un folklore intact. Chasseurs de grouse (perdrix géante, dite lagopède d'Ecosse) et pêcheurs de saumon dépensent sans compter pour y satisfaire leur passion. **Jusqu'ici, le pays a su préserver son environnement** ; ainsi des « échelles à poissons » équipent-elles chaque barrage hydroélectrique, pour éviter la disparition des salmonidés. Le plus gros du flux touristique irrigue les Highlands, de juin à septembre. Très pauvre et de plus en plus dépeuplée, la région reprend espoir.

## Du mouton au saumon

Evoquant l'agriculture écossaise au début du XVIIIe siècle, **Daniel Defoe**, le célèbre auteur de **« Robinson Crusoé »**, écrit, enthousiaste : **« Les vaches et les moutons allaient en Angleterre, et le seul article du bétail faisait rentrer 100 000 livres sterling par an »**. L'élevage demeure prospère au début du XXe siècle, entre **le bœuf (Aberdeen Angus)**, à la viande justement réputée, et **le mouton,** à la laine savamment filée. L'Ecosse brille plus par le pâturage que par le labourage, sauf dans **l'East Lothian**, le grenier du pays. De nos jours, ce sont les piscicultures et les fermes marines qui ont le vent en poupe, lacs, rivières et estuaires constituant **le biotope idéal pour l'élevage de la truite, du saumon et des crustacés** Les côtes demeurent très poissonneuses, mais les chaluts écossais, équipés à l'ancienne mode, y sont dangereusement concurrencés par des navires-usines battant pavillon étranger.

## INSTITUTIONS POLITIQUES ET ADMINISTRATIVES

Par le **référendum historique du 11 septembre 1997, l'Ecosse a retrouvé son Parlement,** perdu par l'acte d'Union signé avec l'Angleterre en 1707. Au fil des siècles, la plupart des institutions des deux pays ont fusionné, mais pas toutes ; ainsi **la justice écossaise est-elle restée indépendante.** En dépit des apparences,

*La jeunesse écossaise s'intéresse de près à son héritage celtique, même si les dialectes disparaissent.*

l'Ecosse a toujours conservé une certaine autonomie. Depuis l'entre-deux-guerres, un véritable gouvernement écossais, siégeant à Edimbourg, veille sur ses intérêts : **le Scottish Office,** fort de plusieurs milliers de fonctionnaires et qui traite de tous les problèmes financiers, sociaux ou scolaires inhérents au pays.

## Un régime parlementaire au pouvoir mesuré

Depuis 1996, le traditionnel découpage administratif du pays a été revu et simplifié. L'Ecosse contemporaine est divisée en **32 « local authorities »,** qui ont remplacé les anciens **regions** et **districts. Le nouveau Parlement, qui compte 129 membres,** pourrait revenir sur cette décision. Il en a le pouvoir, comme de légiférer en matières fiscale et sociale. En revanche, les politiques étrangère, économique ou sécuritaire demeurent dans le giron de Westminster, ce qui, bien sûr, ne satisfait pas les nationalistes. Emanation de ce Parlement, **un gouvernement de coalition** s'occupe des matières dévolues par Londres. Constitué d'un Premier ministre, d'une équipe de ministres et de fonctionnaires de police, cet exécutif est en place depuis 1999, réunissant des travaillistes et des libéraux. Il lui reste à trouver ses marques.

## POPULATION

À peine plus de **5 millions d'habitants,** et, après l'Eire (Irlande du Nord), **le deuxième taux d'émigration** en Europe du Nord. Au XIX$^e$ siècle, l'augmentation de la richesse globale du pays avait favorisé un accroissement spectaculaire de la population. A l'orée du XXI$^e$ siècle, la tendance s'est inversée, même si la côte is se développe autour de ses zones pétrolières. **Les trois quarts des Ecossais se concentrent à Edimbourg et à Glasgow,** capitales administrative et économique du pays. Dans les Highlands et dans les îles, c'est le désert humain ou presque. L'Ecosse reste marquée par son histoire, avec une population très différente au nord et au sud : celte dans le premier cas, aux racines anglo-saxonnes dans le second. Une même

## Sur cette pierre...

« Aucun roi ne peut régner en Ecosse s'il ne s'est d'abord assis sur la pierre conservée avec respect en l'église de l'abbaye de Scone », écrit John of Fordun, chroniqueur écossais du XIV$^e$ siècle. C'est sur cette pierre de la Destinée, héritée des Pictes, que furent intronisés les rois écossais entre le IX$^e$ et le XIII$^e$ siècle. Elle fut ensuite emportée en Angleterre par Edouard I$^{er}$ et déposée à l'abbaye de Westminster. En 1996, le gouvernement britannique la rendit à son pays d'origine. Elle y était déjà revenue quinze ans plus tôt, volée par quatre étudiants aussi facétieux que... robustes : elle pèse plus de 150 kilo !

conscience de l'identité écossaise, un souci identique de la place du pays dans le concert mondial, mettent tout le monde d'accord.

## RELIGION

S ujet brûlant et discordant des siècles passés, **la religion contribue, aujourd'hui, à l'affirmation du sentiment national écossais.** Le pays ne possède-t-il pas sa propre Eglise, *Church of Scotland,* parfaitement indépendante de l'Eglise anglicane (*Church of England*) ? Longtemps, le pouvoir spirituel dicta sa conduite au pouvoir temporel, malgré la séparation de l'Eglise et de l'Etat ; ainsi tous les commerces fermaient-ils leur porte le dimanche, jour du Seigneur. **Les nouvelles générations apparaissent moins pratiquantes et plus libérales.** Les protestants sont quatre fois plus nombreux que les catholiques. A de rares exceptions près, les deux communautés entretiennent des relations cordiales, bien qu'espacées.

## VIE SOCIALE

T rès attachée à ses traditions, l'Ecosse n'en saisit pas moins son époque à bras-le-corps. Développement des voies de communications, rénovations immobilières, centres commerciaux géants, universités de haut niveau, tourisme actif, **tout contribue à faire souffler un vent nouveau sur le pays. Le secteur tertiaire occupe, désormais, 75 % des actifs**, et, sans conteste, le jean bat le kilt en brèche ! S'estompe l'esprit victorien, tout de conservatisme et de philanthropie, au profit d'une démarche à la fois plus personnelle et plus entreprenante. C'est la classe moyenne qui sort gagnante d'un libéralisme économique accru et de l'ouverture accélérée du pays sur l'extérieur.

## L'aventure, c'est l'aventure

Beaucoup d'Ecossais sont à la fois curieux et entreprenants. Au château hanté et à la panse de brebis farcie, célèbres spécialités du pays, il faut ajouter l'aventure. L'Ecosse a peuplé l'administration de l'Empire britannique. Et on ne compte plus les intrépides explorateurs *made in Scotland*. David Livingston, qui, au XIXe siècle, traversa l'Afrique d'est en ouest, est le plus connu. Mais il faut aussi citer Mungo Park, qui remonta le fleuve Niger dès le XVIIIe siècle, John Ross, spécialiste de l'Arctique, Alexander Mackenzie, explorateur du Canada, ou John McDouall Stuart, qui parcourut le désert australien.

## FÊTES ET COUTUMES

D 'une variété peu commune, souvent original, le programme festif de l'Ecosse s'étale sur toute l'année. Hormis les grandes manifestations, chaque localité ou presque a sa fête.

## Jours fériés

**1ᵉʳ et 2 janvier :** jour de l'An.
**Vendredi saint (Good Friday) et lundi de Pâques (Easter Monday).**
**1ᵉʳ lundi de mai :** May Day.
**Dernier lundi de mai :** Spring Bank Holiday.
**1ᵉʳ lundi d'août :** Summer Bank Holiday.
**25 décembre :** Noël.
**26 décembre :** Boxing Day.

## Rencontres sportives

**Mi-février à Glasgow :** championnat du monde de curling, Scottish Curling Championships.
**En février/mars à Édimbourg :** tournoi des Six Nations.
**En mai aux Hébrides :** triathlon, Western Isles Challenges.
**En mai à Jedburgh :** rugby à sept, Jed-Forest RFC Annual Sevens.
**En juillet à Aberdeen :** football, Aberdeen International Football Festival.
**En juillet dans les Highlands :** jeux traditionnels, Callander World Championships Highlands Games.
**En juillet au loch Lomond :** golf, World Golf Tournament.
**En août à Lauder :** équitation, Scottish Championships of Horse Trial.

## Fêtes et festivals

**Janvier :** Celtic Connections à Glasgow, fête annuelle de la musique des pays celtes, au cours de laquelle se produisent des artistes du monde entier.
**25 janvier :** Burns Night, célébration de l'anniversaire du plus célèbre poète écossais, Robert Burns, qui s'accompagne de récitals de musique et de poésie, mais aussi d'une dégustation de haggis.
**Fin janvier :** Up Helly Aa, fête du Feu, héritage des Vikings, qui se déroule à Lerwick, dans les Shetland.
**Fin mai :** Highlands Festival à Inverness, un des plus importants festivals des arts et de la culture celtiques en Europe.
**1ʳᵉ quinzaine d'août :** Aberdeen International Youth Festival, festival multi-artistique à Aberdeen et dans les Grampians, avec la participation de vedettes internationales.
**Du 3 au 25 août :** Edinburgh Military Tatoo, parade des régiments écossais sur l'esplanade du château d'Édimbourg.
**Mi-août :** Arbroath Sea Fest, célébration du passé maritime et des fruits de mer de l'Arboath.

*Le sacro-saint pub reste un lieu de rencontre privilégié, toutes conditions sociales et tous âges confondus.*

Regards actuels

**2e quinzaine d'août** : Edinburgh's International Festival, théâtre, expositions, concerts.

**1re quinzaine d'octobre** : Royal National Mod à Stornoway (île de Lewis), plus important festival de musique, de chanson, de théâtre, de danse et de littérature gaélique d'Ecosse.

**30 novembre** : St Andrew Day, fête du saint patron de l'Ecosse, un peu partout dans le pays.

## ART ET CULTURE

### La peinture

Jusqu'au XVIIe siècle, les peintres flamands imposent leur marque à travers œuvres religieuses et portraits de cour. **Il faut attendre le XVIIIe siècle pour que la peinture écossaise existe vraiment en tant que telle,** notamment à travers les portraits réalisés par **Allan Ramsay et Henry Raeburn.** Avec le XIXe siècle triomphent les scènes de nature et les œuvres animalières. Les paysages sauvages des Highlands et, dans une moindre mesure, les côtes déchiquetées du pays constituent une source d'inspiration privilégiée. **Alexander Nasmyth, Horatio McCullough, William Dyce ou William McTaggart** signent des paysages qui rencontrent un grand succès. A partir de la seconde moitié du XIXe siècle, Glasgow connaît une activité artistique majeure, grâce au mécénat des riches industriels, bien conseillés par les marchands d'art. L'impressionnisme, le fauvisme, le cubisme, sont successivement à l'ordre du jour. **L'école de Glasgow produit alors des artistes exceptionnels, comme W.Y. MacGregor, Joan Eardley ou R. Colquhoun.** Avec la seconde moitié du XXe siècle, la peinture écossaise acquiert une vitalité et une richesse peu communes, entre les assemblages d'objets peints de **Will MacLean,** les farouches compositions de **Ken Currie,** l'extrême sensibilité de **Stephen Conroy** ou les couleurs vives caractéristiques du groupe **Wilde Malerei.**

### L'architecture

Les premières constructions écossaises répertoriées datent de l'époque néolithique et utilisent abondamment la pierre, qui est partout ou presque,

comme le prouve **le site de Skara Brae,** remarquablement conservée. Les Romains, les Pictes, les Celtes, font de même. Jusqu'au XIVe siècle, la maison traditionnelle est une construction en pierre de plain-pied, recouverte de chaume. Dans les bourgs, les plus riches l'agrémentent vite de sculptures, puis d'arcades soutenant un ou deux étages. Parallèlement se développe une spectaculaire architecture religieuse, le roman normand d'abord, le gothique ensuite, très bien représenté par **la cathédrale de Glas-**

*A la maison forte succéda le château de plaisance*
*aux atours spectaculaires, telle cette grille en fer forgé.*

**gow**, quasiment intacte depuis le XIII<sup>e</sup> siècle. D'abord forteresses organisées autour d'un unique donjon, tel **Cawdor**, les châteaux évoluent, comme partout en Europe, vers le raffinement. **Au XVII<sup>e</sup> siècle apparaissent de magnifiques palais baroques, comme Drumlanrig ou Holyrood Palace** – un style classique qui s'épanouit, au XVIII<sup>e</sup> siècle, sous l'impulsion de **deux grands architectes, William Adam et son fils Robert.**

**Charles Rennie Mackintosh** entre en scène après la vague romantique du XIX<sup>e</sup> siècle. L'Ecosse connaît alors une urbanisation galopante, liée à son développement industriel. Le grand bâtisseur de l'époque se nomme **Alexander Thomson.** Mackintosh, qui incarne le *Glasgow Style,* renouvelle l'architecture et les arts décoratifs écossais par l'apport d'une grande simplicité, d'une recherche systématique de la lumière, d'une prédominance de la ligne droite. Il annonce déjà cette architecture contemporaine dont l'Ecosse est légitimement fière, entre l'International Conference Centre d'Edimbourg et le Contempory Arts Centre de Dundee.

## La littérature

« C'est le Celte qui dirige l'art », aimait à dire Oscar Wilde. Si les poèmes du **barde Ossian** (III<sup>e</sup> siècle) sont chers aux défenseurs du gaélique, c'est surtout **au poète Robert Burns** (1759-1796) et à **l'écrivain Walter Scott** (1771-1832) que l'Ecosse doit sa réputation littéraire. Le premier trouve son inspiration dans les ballades anciennes ; le second est l'inventeur du roman historique. Empreints de romantisme, l'un et l'autre incarnent parfaitement l'esprit national. Leur prestige rejette dans l'ombre des écrivains tels que **James Boswell, Tobias Smolett ou James Hogg,** leurs contemporains. Au hitparade, seuls l'essayiste et historien **Thomas Carlyle,** et, plus tard, **Robert Louis Stevenson,** célèbre auteur de *L'Ile au trésor* et du *Docteur Jekyll et Mister Hyde,* semblent capables de rivaliser avec eux.

Le XX<sup>e</sup> siècle, lui, favorise l'éclosion de nombreux talents, portés par la renaissance de la langue nationale : **Hugh MacDiarmid, Helen**

# Tintin en kilt

*L'Ile noire* est un des plus célèbres albums de Tintin et Milou. Ses décors sont d'une rare exactitude. La forteresse de Ben More, c'est le château d'Eilean Donan. Le village de Kiltoch, c'est le petit port de Portree. Sans parler des pubs, des ruisseaux ou du chemin de fer de Glasgow. Pourtant, l'éditeur londonien d'Hergé, Methuen, releva **131 erreurs** de détails dans l'édition de 1938. D'où une seconde version, publiée en 1965. Inutile d'ergoter : des brumes des Highlands aux îles déchiquetées de la côte nordouest, l'Ecosse que parcourt Tintin est superbement reproduite, dans sa rudesse comme dans son romantisme. Aujourd'hui encore, on la reconnaît sans mal.

Cruickshank, Compton Mackenzie, etc. Aujourd'hui, l'Ecosse peut s'enorgueillir de posséder nombre d'écrivains dont la réputation dépasse largement ses frontières, comme **James Hogg, Muriel Spark, George Mackay Brown ou William Boyd.**

## Le cinéma

L'Ecosse est une véritable vedette du grand écran grâce à ses paysages et à ses châteaux. Y ont été réalisés des dizaines de films à succès, depuis *Les Trente-Neuf Marches* d'Alfred Hitchcock (1935) jusqu'à *Braveheart* (1995) de et avec Mel Gibson. Pour *La Mort en direct* (1980), avec Romy Schneider, Bertrand Tavernier a choisi Glasgow. Pour *Les Chariots de feu* (1981), avec John Gielgud et Ben Cross, Hugh Hudson s'est immergé dans les Highlands. On a vu Julia Roberts à Edimbourg, dans *Mary Reilly* (1996), et Tom Cruise sur la voie ferrée Dumfries-Annan, dans *Mission impossible* (1996 également). Même Laurel et Hardy, bouffons géniaux, ont tâté du pays de Nessie (*Bons pour le service, 1935). Macbeth* d'Orson Welles (1947), *La Guerre du feu* de Jean-Jacques Annaud (1981), *Petits meurtres entre amis* de Danny Boyle (1995) : les genres sont différents, mais le succès est toujours au rendez-vous. **S'il existait un oscar du meilleur lieu de tournage, c'est, sans conteste, l'Ecosse qui l'emporterait !** Même la plus importante industrie cinématographique du monde, le « *Bollywood* » indien, y tourne régulièrement ses films.

## La musique

**Depuis quelques années, la musique folklorique écossaise trouve un second souffle,** avec des groupes comme **Runrig** ou **Avalon** et des festivals comme les Celtic Connections de Glasgow. Le calendrier annuel des manifestations musicales traditionnelles répertorie plus d'une soixantaine de rendez-vous à consonance gaélique, très courus par la jeunesse, comme ceux de Keith, Auchtermuchty ou Kirriemuir. Il existe également de nombreux *ceilidhs* improvisés, offrant, chaque semaine, l'occasion de

prendre part à des danses authentiques. Instrument national, la cornemuse (*bagpipe*) mène le bal, inséparable du violon (*fiddle*) et de la harpe (*clarsach*). Face à la déferlante folklorique des Highlands et au prestige des chants sacrés, la musique classique écossaise a su se faire une place non négligeable, avec des artistes tels que le compositeur **Robin Orr** ou le chef d'orchestre **Hugh S. Robertson.** Aujourd'hui, l'orchestre national d'Ecosse jouit d'une réputation internationale.

*La harpe triangulaire dotée d'une caisse de résonance fut inventée en Ecosse il y a plus de deux mille ans.*

# Se déplacer

# Edimbourg et ses environs

*La capitale écossaise est aussi la deuxième destination touristique de Grande-Bretagne après Londres. Entre son exceptionnel quartier médiéval et son tout nouveau secteur gouvernemental, c'est une ville qui bouge, dopée par la devolution de 1998.*

## EDIMBOURG

 13 km     25 min     20 £ / 22,70 €

### Un peu d'histoire

**Edimbourg prit toute son importance au XVe siècle,** sous les premiers Stuarts, quand elle ravit à Perth le titre de capitale. Entre les troupes de Henri VIII et celles de Cromwell, elle connut des chevauchées sanglantes. Des périodes de doute aussi, lorsque l'acte d'Union (1707) la réduisit au statut de simple ville de province. Il n'empêche : **jamais ne faiblit son amour pour les arts et les lettres.** Au XVe siècle, s'y monta la première presse à imprimer du pays. Un siècle plus tard, y fut fondée une université au renom galopant. Au XVIIIe siècle, **elle connut une effervescence intellectuelle et artistique saluée par l'ensemble de l'Europe.** Entre 1800 et 1900, Edimbourg multiplia sa population par cinq, passant de 80 000 à plus de 400 000 habitants. Sur le plan architectural, Edimbourg apparaît, sans conteste, comme **une agglomération double,** entre les ruelles moyenâgeuses d'Old Town, le long du Royal Mile, et les façades georgiennes de New Town, tournées vers la campagne du Lothian et l'estuaire du Forth. Avec ses nombreux musées, galeries et salles de spectacle, **sa vocation culturelle demeure son atout majeur,** au grand dam de Glasgow, sa rivale de toujours. Elle y ajoute une pointe de mystère, à l'ombre inquiétante de **Stevenson,** qui y puisa la matière de son *Docteur Jekyll et Mister Hyde.*

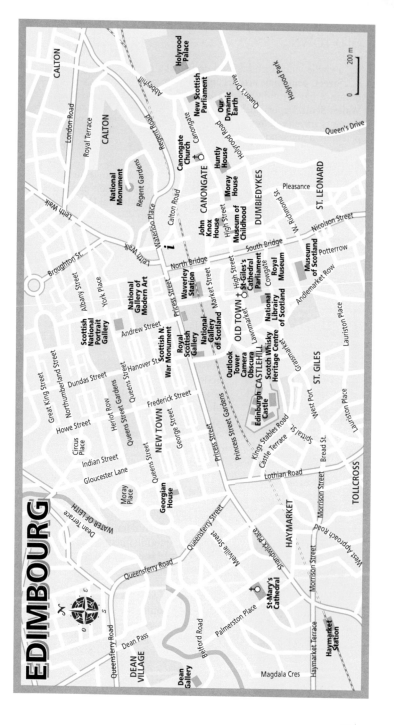

# EDIMBOURG

CALTON

Holyrood Palace

London Road

Royal Terrace

CALTON

Abbeyhill

Regent Road

New Scottish Parliament

Our Dynamic Earth

Queen's Drive

Holyrood Park

200 m

0

National Monument

Regent Gardens

Waterloo Place

Canongate

Canongate Church

Huntly House

Holyrood Road

Queen's Drive

Leith Walk

Calton Road

Moray House

CANONGATE

John Knox House

High Street

Museum of Childhood

DUMBIEDYKES

Pleasance

ST. LEONARD

Broughton St.

Leith Walk

North Bridge

South Bridge

W. Richmond St.

Nicolson Street

Potterrow

Museum of Scotland

Albany Street

York Place

i

Waverley Station

Market Street

St-Giles's Cathedral

Parliament

Cowgate

Royal Museum

Andlemarket Row

National Gallery of Modern Art

Princess Street

High Street

OLD TOWN

Lawnmarket

National Library of Scotland

Scottish National Portrait Gallery

Andrew Street

Scottish N. War Monument

Royal Scottish Gallery

National Gallery of Scotland

CASTLEHILL

Outlook Tower Camera Obscura

Scotch Whisky Heritage Centre

Grassmarket

ST. GILES

Lauriston Place

Great King Street

Northumberland Street

Heriot Row

Queens Street Gardens

Hanover St.

Queens Str.

Dundas Street

Howe Street

Frederick Street

NEW TOWN

George Street

Edinburgh CASTLE

West Port

Spittal St.

Bread St.

Lauriston Place

Circus Place

Indian Street

Queens Street

Princess Street

Princess Street Gardens

Kings Stables Road

Castle Terrace

Lauriston Place

TOLLCROSS

Gloucester Lane

Georgian House

Moray Place

Lothian Road

HAYMARKET

Morrison Street

West Approach Road

WATER OF LEITH

Dean Terrace

Queensferry Street

Melville Street

Stanhope Place

Queensferry Road

Queensferry Road

Belford Road

Dean Pass

DEAN VILLAGE

Dean Gallery

Palmerston Place

St-Mary's Cathedral

Haymarket Terrace

Morrison Street

Haymarket Station

Magdala Cres

# le guide !

La vieille ville s'étend au sud de **Princes Street, principale artère commerçante**, dominée par un monument à la gloire de **Walter Scott**. Depuis quelques années, d'importants travaux de rénovation assurent la pérennité d'un grand nombre de ses vestiges médiévaux. **Tout a été fait pour y favoriser les piétons**, les transports en commun et les

**Suivez**

Attention à l'horloge de la tour du *Balmoral Hotel* : elle avance toujours de trois minutes, pour que les voyageurs ne ratent pas leur train !

taxis, au détriment des voitures particulières. Peu étendu, le quartier s'explore sans mal à pied entre son château, à l'ouest, et son palais, à l'est. Dominant **Waverley Station**, la célèbre tour du **Balmoral Hotel** constitue un excellent point de repère pour ne pas s'égarer.

## Edinburgh Castle

*Castlehill. Ouvert tlj de 9 h 30 à 18 h (17 h 30 d'octobre à mars). Entrée payante.*
Bâti, au XIe siècle, sur un rocher de basalte escarpé, il fut le témoin haut perché (135 m) des heures les plus dramatiques de l'histoire écossaise. Dessi-

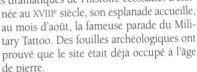
# le guide !

**Suivez**

En contrebas de l'esplanade du château existe un cimetière insolite : celui des chiens mascottes des régiments écossais.

née au XVIIIe siècle, son esplanade accueille, au mois d'août, la fameuse parade du Military Tattoo. Des fouilles archéologiques ont prouvé que le site était déjà occupé à l'âge de pierre.

Au-delà d'une porte à herse et d'une redoutable enceinte, ses bâtiments ont été érigés entre les XIe et XXe siècles. **La salle de la Couronne**, où sont exposés le trésor d'Ecosse et la pierre de la Destinée, attire un maximum de visiteurs. Mais le lieu scintille de beaucoup d'autres joyaux, à commencer par **Mons Meg**, étonnante pièce d'artillerie du XVe siècle qui projetait ses boulets de pierre à plus de 2 km de distance.

### Half-Moon Battery

De ce bastion en demi-lune, construit en 1573, est quotidiennement tiré un coup de canon à 13 h, sauf le dimanche : **le One O'Clock Gun.**

### St Margaret's Chapel

Edifiée par sainte Marguerite, cette petite chapelle romane (1090) constitue, sans doute, le lieu le plus émouvant d'Edinburgh

*Devant le château d'Edimbourg, un garde revêtu de l'uniforme traditionnel, avec bonnet à plumes et tartan.*

Castle. Elle aime les superlatifs : c'est **la plus vieille église du pays,** qui occupe le point le plus élevé de la colline.

### Great Hall

Vaste salle de banquet au XV$^e$ siècle, puis siège de plusieurs Parlements d'Ecosse, avant de servir de caserne et d'hôpital, cette immense pièce accueillit les chefs d'Etat européens en 1993, lors du sommet d'Edimbourg. Il faut y lever le nez : chevillée dans les règles de l'art, **la splendide charpente** constitue un modèle du genre.

### Scottish National War Memorial

Face au Great Hall, cet impressionnant monument rend hommage aux soldats écossais morts au cours des deux guerres mondiales.

### Scottish United Services Museum

Uniformes, armes, trophées, drapeaux, médailles… L'histoire des divers régiments d'Ecosse déclinée sur quatre siècles.

### Palace

Régulièrement réaménagés entre les XV$^e$ et XVII$^e$ siècles, ces appartements royaux sont emplis de l'âme des Stuarts.

## Du nouveau à l'ouest de Lothian Road

Attrayante à l'est d'Edinburgh Castle, la ville végéta longtemps à l'ouest. En quelques années, ce secteur défavorisé de Lothian Road est devenu une référence en matière d'architecture contemporaine. En 1985, la construction de Festival Square et du Sheraton Grand Hotel agit comme un détonateur. Trois ans plus tard naissait un vaste plan visant à transformer le quartier en centre financier. Aujourd'hui s'y succèdent les bâtiments les plus audacieux, autour du fameux Edinburgh International Conference Centre, conçu par Terry Farrell dans Morrison Street.

Edimbourg et ses environs

*Artère pentue d'Edimbourg, le Royal Mile réunit bâtiments historiques et arrière-cours moyenâgeuses.*

## Royal Mile

En quittant Edinburgh Castle par l'esplanade s'ouvre « la plus large, la plus longue et la plus belle rue du monde », selon **Daniel Defoe**, auteur de *Robinson Crusoé*. Elle est formée par quatre rues, dans le prolongement les unes des autres : **Castelhill, Lawnmarket, High Street et Canongate**. Flanquée de traverses, de venelles, d'impasses, de cours intérieures, elle réunit les plus belles maisons anciennes d'**Old Town** et ses monuments les plus prestigieux.

On y rencontre aussi de nombreux antiquaires et, bien sûr, des boutiques de souvenirs traditionnels.

### Outlook Tower and Camera Obscura

*Angle Ramsay Lane. Ouvert tlj de 9 h 30 à 18 h (17 h hors saison). Entrée payante.*

Au sein de sa chambre noire, la ville apparaît sous un jour surprenant, à la fois déformée et mobile. Une expérience surprenante qui s'apparente à celle que vivrait un observateur placé à l'intérieur d'un appareil photographique.

### Scotch Whisky Heritage Centre

*354 Castlehill. Ouvert tlj de 10 h à 17 h 30. Entrée payante.*

Entièrement dédié à la boisson nationale, il offre des commentaires en français et, pour que le plaisir soit complet, une dégustation de whisky et une boutique de souvenirs.

### De Grassmarket à Lawnmarket

Dès les premiers rayons de soleil, pubs et restaurants dressent leurs tables sur cette place devenue guillerette, presque romantique, sous le flanc sud de Castle Rock. Ses quelques maisons anciennes, telle l'auberge **White Hart Inn**, ne sont qu'une mise en bouche. Les plus spectaculaires se trouvent sur **Lawnmarket**, comme **Macmorran's House** ou **Gladstone's Land**, construites aux XVIᵉ et XVIIᵉ siècles. Sur **Fisher's Close**, une autre très belle demeure (1622) abrite un musée consacré aux trois grands hommes de lettres du pays : **Burns, Scott et Stevenson** (*The Writers' House. Ouvert du lundi au samedi de 10 h à 17 h, dimanche de 14 h à 17 h pendant le festival d'été. Entrée libre*).

### Autour de St Giles' Cathedral

#### St Giles' Cathedral

*High Street. Ouvert tlj de 9 h à 17 h (19 h en été). Entrée libre.*

Cette cathédrale gothique domine la ville depuis cinq siècles. L'extérieur a été remanié au XIXᵉ siècle. L'intérieur apparaît assez austère. Dans **Thistle Chapel**, la statue d'un ange jouant de la cornemuse égaie un peu l'atmosphère.

**le guide !**

Suivez

A la rencontre de Castlehill et de Lawnmarket, la Tolbooth Kirk, église datant du milieu du XIXᵉ siècle, possède la plus haute flèche de la ville.

## Parliament House

*Parliament Square. Ouvert du lundi au vendredi de 10 h à 12 h et de 14 h à 16 h. Entrée libre.*

Construit au début du XVIIᵉ siècle dans un style italien, c'est, de nos jours, le palais de justice. **Remarquable charpente gothique dans la salle des pas perdus.** *So british,* les hommes de loi en perruque qu'on y croise ne sont pas mal non plus.

## National Library of Scotland

*George IV Bridge. Ouvert tlj de 10 h (14 h le dimanche) à 17 h. Entrée libre.*

Tout simplement une des bibliothèques les plus riches de toute la Grande-Bretagne, avec 4,5 millions d'ouvrages. Nombreuses petites expositions temporaires.

## John Knox House

*45 High Street. Ouvert du lundi au samedi de 10 h à 16 h 30. Entrée payante.*

Datée de 1450, cette très belle demeure réunit, sous ses plafonds peints, une collection d'objets évoquant la vie de John Knox, leader de la réforme protestante.

## Museum of Childhood

*42 High Street. Ouvert du lundi au samedi de 10 h à 17 h (18 h en été), dimanche de 14 h à 17 h pendant le festival. Entrée libre.*

Une plongée salutaire dans le monde de l'enfance, entre trains mécaniques, voitures miniatures, poupées anciennes. Le jeune public apprécie bruyamment.

## ▨ Les trésors de Canongate

De **Moray House** à **Acheton House** et de **Morocco Land** à **White Horse Close**, se succèdent les façades en dentelle de pierre. Dans le cimetière de l'élégante **Canongate Church** (*Ouvert du lundi au samedi de 10 h 30 à 16 h 30. Entrée libre*) reposent des personnages célèbres, tels **Clarinda**, l'amie de cœur de **Robert Burns**, le poète **Robert Fergusson** ou l'économiste **Adam Smith**. Lieu de résidence préféré de l'aristocratie pendant les XVIᵉ et XVIIᵉ siècles, la rue se termine, en fanfare, sur **Holyrood**, la résidence officielle des souverains britanniques.

**Edimbourg et ses environs**

## Suivez le guide !

Les habitants d'Edimbourg sont formels : murée après l'épidémie de peste de 1645, Marie King's Close, traverse proche de Parliament House, est hantée !

# Fantômes à vendre

Passages étroits, venelles sombres, ruelles tortueuses, façades inquiétantes à la faible lueur des réverbères : pendant longtemps, de nombreux quartiers d'Old Town constituèrent de véritables coupe-gorge. La ville enfanta des assassins célèbres, tels Burke et Hare, qui trucidaient les passants pour revendre leur corps à la science. Parmi les personnages de fiction, le Mister Hyde de Stevenson se jouait de ses poursuivants grâce aux mille et un dédales de la cité. De nos jours, de nombreuses agences proposent des promenades guidées à travers la ville, à la recherche de ses âmes perdues les plus terrifiantes. Pour l'occasion, les guides s'habillent en fantôme ! Chair de poule garantie.

### Huntly House

*142-146 Canongate. Ouvert du lundi au samedi de 10 h à 17 h, dimanche de 14 h à 17 h pendant le festival. Entrée libre.*

Dans cette maison du XVIe siècle, admirablement restaurée, ont été réunis de nombreux éléments de l'histoire locale : des haches néolithiques, des cloches de St Giles, des ustensiles domestiques…

### Canongate Tolbooth

*163 Canongate. Ouvert du lundi au samedi de 10 h à 17 h, dimanche de 14 h à 17 h pendant le festival. Entrée libre.*

Voisin et complément du précédent, il retrace la vie quotidienne de la cité (*the people's story*) depuis le XVIIIe siècle, avec un fort caractère social. Expositions et mises en scène très vivantes.

## Holyrood

A l'image d'**Edinburgh Castle**, mais à l'autre extrémité du Royal Mile, **Holyrood Palace** joua un rôle éminent dans l'histoire de l'Ecosse. Edifié par Jacques IV, au XVe siècle, sur les terres d'une abbaye, aujourd'hui en ruine, il accueillit notamment **Jacques V, Charles II, Marie Stuart et Bonnie Prince Charlie**. Depuis le règne de **Victoria**, très attirée par l'Ecosse, les souverains britanniques l'utilisent lors de leurs visites à Edimbourg.

### Holyrood Palace

*Canongate. Ouvert tlj de 9 h 30 à 17 h (15 h 30 en hiver). Entrée payante. Fermeture possible si présence de la famille royale.*

Le premier choc, c'est **la façade Renaissance** de la cour intérieure, avec superposition des trois ordres grecs, dorique, ionique et corinthien. L'intérieur ne déçoit pas, entre les superbes tapisseries des Flandres et des Gobelins qui ornent la salle du trône, la chambre de Marie Stuart et son passage secret, ou la centaine de portraits de souverains écossais accrochés dans la grande galerie. **Depuis la salle du trône, ne pas manquer la vue plongeante sur les magnifiques jardins.** Partout ou presque, de très beaux meubles des XVIIe et XVIIIe siècles, sous des plafonds ciselés et peints.

Holyrood Park

Au sud du palais, ce domaine pentu de 265 ha est un ancien volcan. **Il faut absolument gagner son sommet**, baptisé Arthur's Seat. Il offre un panorama unique sur Edimbourg et sur la côte, après moins d'une demi-heure d'une ascension aisée. Quand le ciel est clair, **on aperçoit les contreforts des Highlands.**

## Chambers Street

C'est la voie royale pour appréhender l'histoire et la géographie de l'Ecosse, grâce à deux des principaux musées de la ville.

### Museum of Scotland

*Chambers Street. Ouvert tlj de 10 h à 17 h. Entrée payante, billet couplé avec le Royal Museum.*
Il abrite quelque 10 000 œuvres d'art et de nombreuses reconstitutions de la vie quotidienne des diverses populations écossaises. **Les tombes vikings sont particulièrement impressionnantes**, les locomotives de la révolution industrielle aussi ! Originale évocation du XXᵉ siècle, avec des objets choisis par le public lui-même.

## Le « haggis », expérience ultime

Old Town conserve de nombreux restaurants fidèles à la cuisine écossaise traditionnelle. A la fois redoutée et moquée par les Français, la fameuse panse de brebis farcie (*haggis*), y tient encore le haut de la table. Elle est à la gastronomie du pays ce que la cornemuse est à sa musique. Sa longue cuisson à l'eau, sa farce à base d'abats épicés (foie, cœur, mou, etc.), sa garniture de navets, peuvent laisser perplexe. L'expérience mérite pourtant d'être tentée, malgré l'odeur bizarre que dégage ce plat pas comme les autres. Robert Burns, qui en raffolait, lui composa une ode. Il est vrai qu'il était écossais.

*Le palais de Holyrood, résidence officielle de la famille royale en Ecosse, fut bâti aux XVᵉ et XVIᵉ siècles.*

Edimbourg et ses environs

## Royal Museum

*Chambers Street. Ouvert tlj de 10 h (12 h le dimanche) à 17 h (20 h le mardi). Entrée payante, billet couplé avec le Museum of Scotland.*

A elle seule, la belle façade victorienne justifierait le déplacement.

Domaine des sciences et des techniques, le musée s'intéresse aussi aux arts décoratifs du monde. **La riche section asiatique mérite une attention soutenue.**

## Our Dynamic Earth

*Holyrood Road. Ouvert tlj de 10 h à 18 h (17 h hors saison). Entrée payante.*

Une toute nouvelle attraction qui raconte la formation de l'univers et l'évolution de notre planète. Une heure et demie suffit à peine pour profiter des nombreux effets spéciaux, comme **la machine à remonter le temps à fibres optiques.**

## NEW TOWN

Ses contours se dessinèrent au milieu du XVIIIe siècle. **James Craig, jeune vainqueur du concours d'architecture lancé par le lord-prévôt George Grumond,** avait le crayon aussi délié qu'imaginatif, futuriste même. Reliée à la cité médiévale par le North Bridge, la ville nouvelle témoigna, d'entrée, de beaucoup d'élégance, entre ses rues larges et symétriques, ses parcs verdoyants et fleuris, ses façades ciselées. Le chantier s'acheva en 1840. Symbole de l'architecture georgienne, New Town conserve toute son harmonie, entre des places proches de la perfection, comme **Charlotte Square, Moray Place** ou **St Andrew Square,** et des avenues aérées, telles **George Street** ou **Princes Street,** bordée de jardins.

### Scottish National Portrait Gallery

*1 Queen Street. Ouvert tlj de 10 h (12 h le dimanche) à 17 h. Entrée libre, sauf expositions temporaires.*

De **Marie Stuart** à **Sean Connery,** un passionnant parcours ponctué, ici ou là, par la signature de grands maîtres de la peinture d'outre-Manche, comme **Gainsborough** ou **Turner.**

### National Gallery of Scotland

*Princes Street. Ouvert tlj de 10 h à 17 h (19 h le jeudi). Entrée libre, sauf expositions temporaires.*

Ce musée réunit une des plus belles collections de peintures de Grande-Bretagne, et même d'Europe. Les maîtres italiens, comme **Raphaël, Tiepolo** ou **Titien,** néerlandais, comme **Rembrandt, Hals** ou **Vermeer,** espagnols, comme **Goya** ou **le Greco**, flamands, comme **Rubens** ou **Van Dyck**, se mêlent aux écoles écossaises et anglaises, de **Ramsay** à **Constable**. On notera aussi la présence de peintres français, et non des moindres, puisqu'il s'agit de **Poussin, Degas, Gauguin, Cézanne**, etc.

## Calton Hill

Cette colline volcanique, avec ses édifices à colonnes corinthiennes, tel le **National Monument**, vaut à Edimbourg le surnom d'Athènes du Nord. Dans la nuit du 30 avril au 1er mai s'y déroule une fête celtique très courue.

## Scottish National Gallery of Modern Art

*Belford Road. Ouvert tlj de 10 h à 17 h (18 h en août). Entrée libre, sauf expositions temporaires.* Une excellente occasion de se familiariser avec l'école de peinture écossaise du XXe siècle, entre les œuvres de **Fergusson** et de **Cadell**. On y voit aussi des **Picasso, Derain, Miró, Bonnard, Bacon**, etc. Magnifique, le parc est agrémenté de sculptures de **Moore, Hepworth** et **Epstein**.

# Le vrai Sherlock Holmes

Sir Arthur Conan Doyle vit le jour à Edimbourg. Il y fit aussi ses études de médecine. Un de ses professeurs, Joseph Bell, le fascinait. Réputé pour la fiabilité de ses diagnostics, ce chirurgien était également capable de deviner la profession de ses patients, à partir d'un simple détail vestimentaire, physique ou comportemental. « Il n'est pas étonnant que, pour avoir vu de près un pareil homme, j'aie utilisé son système quand j'ai essayé de créer un détective scientifique », raconte Conan Doyle dans ses mémoires. Sherlock Holmes était né.

## le guide !

**Suivez** St Stephen Street, une des artères calmes et cossues de New Town, regroupe de très nombreux antiquaires, la plupart proposant une excellente marchandise.

**Edimbourg et ses environs**

*Taxis de Londres et d'Edimbourg, même combat !*
*Mais la circulation est beaucoup plus dense en Angleterre.*

*Depuis 1988, les pubs ouvrent leurs portes l'après-midi et ne les ferment souvent qu'après minuit.*

### Dean Gallery

*Belford Road. Ouvert tlj de 10 h (12 h le dimanche) à 17 h. Entrée libre, sauf expositions temporaires.*

En face de la précédente, une galerie ouverte en 1999 dans un ancien orphelinat. Elle est très bien structurée. **Dalí, Ernst, Magritte, Picasso** et quelques autres : à cette présence de prestigieux artistes du XXe siècle.

### Royal Botanic Garden

*Inverleith Row. Ouvert du lundi au samedi de 9 h 30 au coucher du soleil. Entrée libre.*

A 1 km au nord du Stock Bridge, **28 ha d'enchantement.** Au XVIIIe siècle, le parc n'abritait que des plantes médicinales. De nos jours, il réunit **34 000 espèces végétales** issues du monde entier, plus, d'un sentier sinueux à une pelouse rase, des serres futuristes, des expositions temporaires, des cours de jardinage, et même un café dont la terrasse domine la ville.

## LES ENVIRONS IMMÉDIATS

### Royal Britannia

*Port de Leith, à 3 km au nord-ouest du centre-ville par Leith Walk. Ouvert tlj de 10 h 30 à 18 h (16 h 30 hors saison). Entrée payante.*

Ex-port de commerce le plus actif d'Ecosse, Leith se signale, aujourd'hui, par la qualité de ses restaurants de fruits de mer et par la présence du **Britannia**, yacht de la famille

## Suivez le guide !

Rivière, jardins, vieilles maisons : dans Edimbourg même, Dean Village permet, par beau temps, des promenades bucoliques à quelques minutes au nord-ouest de Charlotte Square.

royale. Ses appartements sont impressionnants, sa salle des machines aussi.

### Craigmillar Castle

*A68, à 4 km au sud du centre-ville. Ouvert tlj de 9 h 30 (14 h le dimanche) à 18 h 30 (16 h 30 hors saison). Entrée payante.*

Cette impressionnante forteresse médiévale, grignotée par le développement urbain, accueillit **Marie Stuart**.

### Lauriston Castle

*Cramond Road South, à 5 km au sud du centre-ville. Ouvert du samedi au jeudi de 11 h à 13 h et de 14 h à 17 h (en hiver seulement le week-end de 14 h à 16 h). Entrée payante.*

Construit en 1590, il fut agrandi au XIX$^e$ siècle. Y naquit le tristement célèbre **John Law**, financier dont la banque connut une faillite retentissante. Jolies collections de meubles, de tableaux, de faïences, à l'abri d'encorbellements et de tourelles du XVI$^e$ siècle.

### Rosslyn Chapel

*Rosly, à 11 km au sud du centre-ville. Ouvert tlj en saison de 10 h (12 h le dimanche) à 17 h. Entrée payante.*

Dans la vallée de l'Esk, un étonnant sanctuaire du XV$^e$ siècle, bâti par les meilleurs artisans d'Europe. Entièrement sculptées, les voûtes de la chapelle St Matthew témoignent d'un exceptionnel raffinement.

# Hauts et bas du kilt

La vision d'Ecossais en kilt réjouit toujours les touristes. On en croise jusque sur les trottoirs d'Edimbourg. Le kilt est fait d'une pièce de tartan plissée, étoffe de laine dont les bandes de couleurs s'entrecroisent pour former un motif régulier. Six à huit mètres de tissu sont nécessaires à sa confection. Il descend jusqu'aux genoux, une épingle ouvragée fixant le rabat frontal. Seuls les hommes le portent. Devenu emblématique de l'Ecosse, il était, à l'origine, le costume traditionnel des seules Highlands. De nos jours, certains l'associent au tee-shirt dans les soirées branchées. *Shocking !*

*Aux Highlands Games, la tradition est présente dans les épreuves sportives mais aussi dans les vêtements.*

Edimbourg et ses environs

# Glasgow et ses environs

*L'ancien berceau de la révolution industrielle est
devenu le miroir de l'Ecosse d'avant-garde.
La nouvelle Glasgow est arrivée ! Trop longtemps
occulté par la fumée de ses usines, son patrimoine
architectural et culturel sort de sa nuit en fanfare.*

## GLASGOW

**13 km**

**20 min**

**18 £/20,40 €**

### Rappel historique

**Dès le XVIII<sup>e</sup> siècle, la ville affirme sa vocation commerciale**, favorisant les échanges avec les colonies anglaises d'Amérique et des Antilles. Porte d'entrée du tabac en provenance du Nouveau Monde, elle devient **l'un des principaux foyers britanniques de l'industrialisation lourde** (charbon, fer et acier), puis de la construction navale. Le XIX<sup>e</sup> siècle en fait la « deuxième cité de l'Empire ». Le XX<sup>e</sup> siècle, qui malmène les industries traditionnelles, se montre beaucoup plus ingrat avec elle. Désœuvrée, elle véhicule l'image d'une cité triste et noirâtre, avant de connaître une spectaculaire métamorphose. Elle est élue Ville européenne de la culture en 1990, puis Ville de l'architecture et du design du Royaume-Uni en 1999. **Sa rapide évolution s'apparente à une révolution.** La cité se lance dans un ambitieux programme immobilier – *Homes for Future* – auquel participent de très grands architectes européens. Elle multiplie les hôtels de luxe et les galeries marchandes. **Le Scottish Opera, le Scottish Ballet, le Centre d'art dramatique,** plus quatre grands orchestres y élisent domicile. Les principaux artistes du pays aussi, tels l'acteur **Robert Carlyle** ou l'écrivain **James Kelman.** Glasgow devient même la première ville de Grande-Bretagne où le couturier italien **Gianni Versace** choisit de s'installer. Aujourd'hui, **l'ex-métropole ouvrière est devenue l'un des vingt plus grands centres financiers d'Europe** et la ville la plus dynamique d'Ecosse.

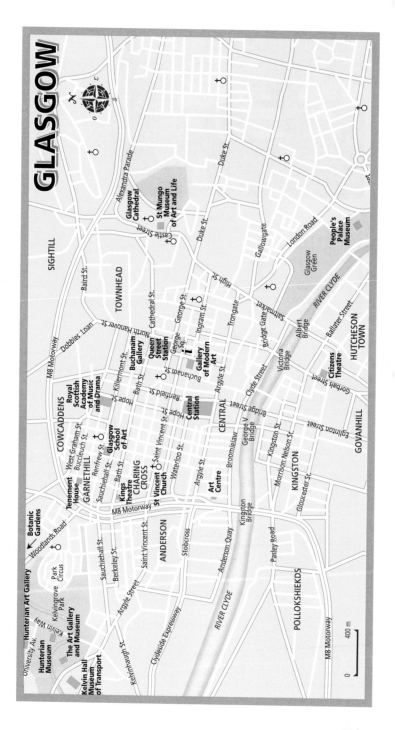

# GLASGOW

SIGHTILL

TOWNHEAD

Baird St.

M8 Motorway

Dobbies Loan

COWCADDENS

GARNETHILL

**Royal Scottish Academy of Music and Drama**

**Tenement House**

West Graham St.
Buccleuch St.
Renfrew St.

Sauchiehall St.

**Glasgow School of Art**

Bath St.

**Kings Theatre**

CHARING CROSS

Saint Vincent St. **St Vincent Church**

Waterloo St.

Argyle St.

**Art Centre**

CENTRAL

**Central Station**

Hope St.

Renfield St.

**Buchanam Gallery**

**Queen Street Station**

Cathedral St.

North Hanover St.
Killermont St.

George St.

Ingram St.

**Gallery of Modern Art**

Buchanan St.

George Sq.

Argyle St.

Trongate

Gallowgate

High St.

Saltmarket

Duke St.

**Glasgow Cathedral**

**St Mungo Museum of Art and Life**

Castle Street

Alexandra Parade

**People's Palace Museum**

Glasgow Green

London Road

RIVER CLYDE

Bridge Gate

Clyde Street

Bridge Street

George V Bridge

Broomielaw

ANDERSON

Saint Vincent St.

Berkeley St.

Sauchiehall St.

Stobcross

Argyle Street

Kelvingrove Park

Park Circus

Woodlands Road

**Botanic Gardens**

University Av.  **Hunterian Art Gallery**

Kelvin Way

**Hunterian Museum**

**The Art Gallery and Museum**

**Kelvin Hall Museum of Transport**

Kelvinhaugh St.

Clydeside Expressway

Anderson Quay

RIVER CLYDE

Kingston Bridge

Pasley Road

POLLOKSHIEKDS

M8 Motorway

KINGSTON

Gloucester St.

Morrison St.

Kingston St.

Nelson St.

Eglinton Street

GOVANHILL

Gorbals Street

**Citizens Theatre**

Victoria Bridge

Albert Bridge

Ballater Street

HUTCHESON TOWN

M8 Motorway

N

0      400 m

*La cathédrale gothique de Glasgow fut miraculeusement épargnée par les tenants de la Réforme.*

## Mackintosh, le visionnaire

Critiqué de son vivant, Charles Rennie Mackintosh, enfant de Glasgow et père du Modern Style, bénéficie, de nos jours, d'une extraordinaire popularité. Né en 1868, il était de ces architectes qui considèrent qu'architecture et art décoratif forment un tout. Influencé par le mouvement anglais de William Morris, Arts and Crafts, son style se caractérise par un grand dépouillement, un souci d'équilibre entre lignes verticales et horizontales, une recherche systématique de la lumière. Depuis quelques années, la municipalité de Glasgow met en valeur les œuvres majeures d'un visionnaire qui se heurta, trop souvent, à l'incompréhension de ses contemporains.

## ▒▒▒ Le centre

Glasgow n'est pas une ville homogène. Le Great Glasgow annonce près d'un million d'habitants. Un plan est indispensable pour ne pas s'égarer dans cette vaste agglomération de cuvettes et de collines, de coins et de recoins. **Le centre, opulent, s'articule autour de George Square et de la statue de Walter Scott.** D'imposants immeubles bordent cette place aérée, plantée de beaux arbres et toujours très animée. La plupart datent de l'ère victorienne, telle **la City Chambers,** dont la façade néo-classique cache un intérieur somptueux, de style Renaissance italienne (*Visites guidées du lundi au vendredi à 10 h 30 et à 14 h 30. Entrée libre*).

### Glasgow Cathedral

*Cathedral Square. Ouvert tlj de 9 h 30 à 13 h et de 14 h à 18 h (16 h hors saison), dimanche de 14 h à 17 h. Entrée libre.*
**Une des rares églises gothiques écossaises qui aient échappé aux exactions de la Réforme.** Elle est construite sur deux niveaux. Mention spéciale pour le collatéral de style gothique flamboyant, ajouté par **l'évêque Blacader** et qui porte son nom. Provocation ? Le cimetière est dominé par la statue de **John Knox,** fondateur de l'Eglise presbytérienne.

### St Mungo Museum of Life and Art

*2 Castle Street. Ouvert tlj de 10 h (11 h le dimanche) à 17 h. Entrée libre.*
Inauguré en 1993, c'est le seul musée existant qui mette en scène les grandes religions de la planète. Un œcuménisme qui a suscité

de nombreuses polémiques. Un jardin zen, le premier créé en Grande-Bretagne, s'efforce de les apaiser ! Ne pas manquer le célèbre *Christ de saint Jean de la Croix* par Dalí.

**le guide !**

Suivez

Au 3, *Castle Street* se trouve la plus vieille demeure de Glasgow (1471) : Provand's Lorship.

## Gallery of Modern Art

*Queen Street. Ouvert tlj de 10 h (11 h les vendredi et dimanche) à 17 h (20 h le jeudi). Entrée libre.*
Inauguré par la reine en 1996, le lieu multiplie les hardiesses dans le cadre d'expositions interactives. **C'est une des attractions culturelles les plus prisées de la ville.** Chacun de ses quatre niveaux est dédié à un des éléments naturels : air, eau, terre et feu. Sculpture, art graphique, peinture, mobile, photographie : carte blanche est donnée à de nombreux artistes contemporains, d'Ecosse et d'ailleurs, tels **Niki de Saint-Phalle** ou **Victor Vasarely**.

## Le cœur de la cité

Totalement ou partiellement réservé aux piétons, le cœur de la cité témoigne, avec force, de la régénération de Glasgow. Il faut s'y mêler à la foule, serrée et ondulante, qui va d'une boutique ultrabranchée à un énorme centre commercial dans **Argyle Street, Buchanan Street, Sauchiehall Street.** A l'ouest de High Street, les immeubles victoriens de **Merchant City** ont échappé, de peu, à la démolition. Glorieux témoins des plus riches heures de la cité et fiefs des importateurs de tabac aux XVIIIᵉ et XIXᵉ siècle, ils bénéficient, aujourd'hui, d'une politique de restauration active. Dans une ambiance effervescente, quelques bâtiments se révèlent particulièrement significatifs du poids historico-culturel de Glasgow, entre **Trades House** (*Glassford Street*) et ses fenêtres vénitiennes, **Hutcheson's Hall** (*158 Ingram Street*) qui abrite le *National Trust of Scotland* ou **Willow Tea Room** (*217 Sauchiehall Street*), entièrement conçu et décoré par **Mackintosh**.

### Lighthouse

*11 Mitchell Lane. Ouvert tlj de 10 h à 17 h. Entrée payante.*
Dans les anciens locaux du journal *The Herald,* un centre du design inauguré en 1999. Exposition permanente consacrée à Mackintosh.

### Pippin Center

*30-34 McPhater Street. Ouvert tlj de 10 h à 17 h. Entrée payante.*
De la cornemuse à trois bourdons, gonflée à la bouche, à la cornemuse à soufflet, tout sur l'instrument national écossais, y compris des cours pour en jouer.

*La cornemuse est devenue l'instrument national écossais dès le XVIᵉ siècle, en lieu et place de la harpe.*

**Glasgow et ses environs**

## Glasgow School of Art

*167 Renfrew Street. Ouvert (visites guidées) du lundi au vendredi à 11 h et à 14 h, samedi à 10 h 30 et à 11 h 30. Entrée payante.*

Œuvre majeure de **Charles Rennie Mackintosh**, l'école des Beaux-Arts de Glasgow témoigne de l'esprit novateur de son concepteur, notamment sa bibliothèque, qui constitue un étonnant exercice de style.

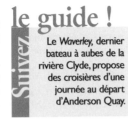

**Suivez le guide !**

Le *Waverley*, dernier bateau à aubes de la rivière Clyde, propose des croisières d'une journée au départ d'Anderson Quay.

## Tenement House

*145 Buccleuch Street. Ouvert de mars à novembre tlj de 14 h à 17 h. Entrée payante.*

Une véritable curiosité que cette reconstitution d'un appartement du début du XXᵉ siècle, avec sa cuisinière à charbon, sa batterie de casseroles, son service à thé.

## Le quartier de l'Université

Le nom de Glasgow viendrait du gaélique *glas-chu* : « bel endroit vert ». Une hypothèse que confirme le quartier de l'Université, très aéré autour **des grands arbres de Kelvingrove Park**. À l'ouest du centre-ville, on le rejoint sans mal à pied en suivant la très commerçante Sauchiehall Street, puis Dumbarton Street. Habité par les couches les plus aisées de la population, il réunit de superbes immeubles victoriens, notamment sur Royal Crescent, des musées, des galeries d'art.

## Kelvingrove Art Gallery and Museum

*Argyle Street, Kelvingrove Park. Ouvert tlj de 10 h (11 h les vendredi et dimanche) à 17 h. Entrée libre.*

Rénové pour un coût de 28 millions de £, **ce musée centenaire,** un peu cérémonieux peut-être, **compte parmi les plus riches de toute la Grande-Bretagne**. Il y a là des œuvres de **Rembrandt, Rubens, Botticelli**, mais aussi de **Picasso, Utrillo, Pissarro**. Riche présence de la peinture écossaise dans l'aile est, du XVIᵉ au XXᵉ siècle. Les amateurs d'armures et d'armes, européennes et orientales, s'attarderont au rez-de-chaussée. **Dédié aux arts décoratifs, le premier étage mérite une mention toute particulière** pour

*Le Kelvingrove Museum and Art Gallery fait la part belle à la peinture italienne (ici Botticelli).*

son exposition de verrerie, d'orfèvrerie, d'argenterie et de céramique.

## Museum of Transport

*Kelvin Hall, 1 Bunhouse Road. Ouvert tlj de 10 h (11 h le dimanche) à 17 h. Entrée libre.*
Amusant comme tout, avec ses bicyclettes et ses locomotives, ses poussettes et ses tramways… Ne pas manquer l'évocation des grandes heures de la construction navale à Glasgow (Clyde Room), ni la fidèle reconstitution d'une rue des années 1930 (Kelvin Street).

## Hunterian Art Gallery

*University Avenue, 82 Hillhead Street. Ouvert du lundi au samedi de 9 h 30 à 17 h (13 h le samedi hors saison). Entrée libre.*
Le lieu est éclectique, entre ses remarquables estampes des XVIe et XVIIe siècles, ses sculptures contemporaines, ses grands noms de la peinture écossaise du XXe siècle, ses tableaux de Chardin, Sisley ou Rembrandt *(La Mise au tombeau),* **sans oublier la Mackintosh House, reconstitution de la demeure du célèbre architecte, avec mobilier d'époque.** La galerie abrite également la plus importante collection européenne d'œuvres et d'objets personnels de James McNeill Whistler, peintre américano-écossais du XIXe siècle.

## Hunterian Museum

*University Avenue, Gilmorehill Building. Ouvert du lundi au samedi de 9 h 30 à 17 h. Entrée libre.*
Il vaut surtout pour son étonnante section de numismatique, qui réunit quelque 30 000 pièces et médailles.

## Botanic Gardens

*730 Great Western Road. Ouvert tlj de 7 h au coucher du soleil. Entrée libre.*
Au cœur du West End, près de la rivière Kelvin, un havre de paix dominé par **le Kibble Palace : une des plus vastes serres victoriennes que possède la Grande-Bretagne.** Elle abrite des spécimens de la flore du monde entier ; **sa collection de fougères arborescentes est particulièrement spectaculaire.**

*Glasgow et ses environs*

# le guide !

**Suivez**

Au nord-ouest des Botanic Gardens, la Queen's Cross Church est la seule église bâtie par Charles Rennie Mackintosh.

# Le plus vieux parc public du monde

Au bout de Saltmarket, Glasgow Green n'est pas qu'un simple espace vert au bord de la Clyde. Avec ses huit siècles d'existence, il constitue le plus vieux parc public de la planète. Les habitants de Glasgow le vénèrent. C'est que s'y déroulèrent quelques événements cruciaux. Bonnie Prince Charlie y rassembla ses troupes avant la bataille de Culloden. Il fut le théâtre des grandes contestations politiques et sociales modernes. Deux célèbres équipes de football, les Glasgow Rangers et le Celtic, virent le jour sur son herbe grasse. Et c'est dans ses allées que James Watt, en 1765, eut l'intuition d'une découverte qui devait bouleverser le monde : la machine à vapeur.

*La House for an Art Lover a été bâtie sur les plans de Mackintosh et de son épouse, Margaret Macdonald.*

## AU SUD DE LA VILLE

La Clyde y joue les fils d'Ariane. Naguère peu sûrs et insalubres, **les abords de la rivière bénéficient, aujourd'hui, de promenades aménagées et fleuries qui comptent parmi les plus souriantes de Glasgow.** Une réhabilitation vraiment très réussie. Au moindre rayon de soleil, la jeunesse envahit les quais qui offrent une jolie perspective sur des ponts superposés, de Suspension Bridge, réservé aux piétons, à Glasgow Bridge. Plus au sud s'étendent les banlieues aisées, avec leurs terrains de golf, leurs parcs et jardins, leurs demeures opulentes, tout un luxe né de la révolution industrielle.

### People's Palace Museum

*Glasgow Green. Ouvert tlj de 10 h (11 h le dimanche) à 17 h. Entrée libre.*
Un étonnant palais de style Renaissance, construit en grès rouge, enfermant une abondante documentation sur l'histoire de la cité, toutes époques confondues. Il **accorde une large place aux transformations économiques et sociales des XIX$^e$ et XX$^e$ siècles.** La salle consacrée au commerce maritime mérite une visite attentive. Nombreux objets insolites, comme une cloche des morts, utilisée, au XVII$^e$ siècle, à l'occasion des funérailles.

### House for an Art Lover

*Bellahouston Park, 10 Dumbreck Road. Ouvert tlj horaires en fonction des cours. Entrée payante.*
Cette « maison d'un amateur d'art » fut dessinée par **Mackintosh** et son épouse en 1901, dans le cadre d'un concours lancé par un magazine allemand. Ses plans ne sortirent des tiroirs qu'en 1989, sur l'initiative de **William Roxburg**. Achevée en 1996, elle abrite, aujourd'hui, le **Centre d'études supérieures de l'école d'Art de Glasgow.** A la fois harmonieuse et fonctionnelle, généreusement éclairée aussi, elle ravira les *aficionados* de l'architecte, dont elle traduit les habituelles préoccupations esthétiques.

## Glasgow Science Centre

*50 Pacific Quay. Ouvert tlj de 12 h à 18 h (20 h vendredi et samedi). Entrée payante.*

Ouvert au printemps 2001 et couvert de titanium, il est consacré aux sciences modernes, avec salle de cinéma *Imax*, tour pivotante de 60 m de hauteur et nombreuses expositions.

## The Scottish Football Museum

*Hampden Park. Ouvert tlj de 10 h (11 h le dimanche) à 17 h. Entrée payante.*

Un véritable paradis du ballon rond.

## The Tall Ship

*Glasgow Harbour. Ouvert tlj de 10 h à 17 h (de 11 h à 16 h hors saison). Entrée payante.*

Il expose un magnifique trois-mâts du XIX$^e$ siècle entièrement restauré : le *Glenlee.*

## Pollok Country Park

*A 5 km au sud-ouest du centre-ville.*

Ses 170 ha verdoyants abritent deux des musées phare de la cité.

### Burrel Collection

*2060 Pollokshaws Road. Ouvert tlj de 10 h (11 h le dimanche) à 17 h. Entrée libre.*

William Burrel, grand armateur et amateur d'art, passa sa vie à acquérir peintures, sculptures, tapisseries, vitraux, tapis et meubles exceptionnels par leur qualité comme par leur diversité. Au total, **quelque 8 000 pièces**, qu'il offrit à la municipalité de Glasgow en 1944. Elles sont exposées, en permanence ou par roulement, dans un lumineux bâtiment à l'architecture contemporaine. Il faut s'attarder dans les galeries consacrées aux civilisations mésopotamiennes, égyptiennes, grecques et romaines, mais aussi dans la riche section d'art européen médiéval. **Tableaux remarquables, entre** *La Chasse au cerf* de Lucien **Cranach ou** *La Vierge et l'Enfant* **de Giovanni Bellini.** Nombreuses œuvres de **Cézanne, Boudin, Degas, Renoir, Gauguin,** etc. La Burrel Collection **est un véritable petit Louvre, justifiant, au moins, une demi-journée de visite.**

# Les plus beaux châles du monde

A la fin du XVIII$^e$ siècle, les tisserands de Paisley, au sud-ouest de Glasgow, s'inspirèrent des châles du Cachemire, alors très en vogue, pour créer de magnifiques parures mariant douceur, légèreté et chatoiement. D'abord artisanale, leur production s'industrialisa avec l'apparition des métiers à tisser Jacquard. En 1850, toute femme élégante de Glasgow ou d'Edimbourg, mais aussi de Paris, de Londres ou de Vienne, se devait de posséder ce genre de châle. La mode s'éteignit avant la fin du XIX$^e$ siècle, aussi vite qu'elle était apparue. Et les châles entrèrent au Musée municipal (*High Street. Ouvert du lundi au samedi, de 10 h à 17 h*).

## Pollok House

*2060 Pollokshaws Road. Ouvert tlj de 10 h (11 h le dimanche) à 17 h. Entrée libre.*
A quelques minutes à pied de la Burrell Collection, à travers le Pollok Country Park, une délicieuse demeure néoclassique, au cœur de jardins à la française animés par des jeux d'eau. Dans son hall et dans ses salons meublés avec raffinement, règne une ambiance intime. On s'étonnerait à peine d'y prendre le thé avec les Maxwell, anciens propriétaires. **Du Greco à Murillo, le lieu possède la plus belle collection privée de peintures espagnoles de toute la Grande-Bretagne.** S'y ajoutent des toiles de maîtres italiens, flamands, anglais. **Les sous-sols,** avec leurs armes anciennes, leurs cannes à pêche en bambou refendu et leurs trophées, **constituent un paradis pour les chasseurs et les pêcheurs.**

## LES ENVIRONS

D'accès facile et rapide, **la vallée de la Clyde** apparaît indissociable de la découverte de la cité. Champêtre en amont, plus industrialisée en aval, elle reflète parfaitement l'évolution de la région au fil des siècles. Notamment immortalisées par **Turner, les chutes de Corra Linn et de Bonnington Linn** offrent la vision la plus romantique de la rivière. Du sud-est au sud-ouest de Glasgow, la Clyde égrène les bourgs historiques. **Biggar,** célèbre pour son théâtre de marionnettes victorien. **Lanark,** qui accueillit la première séance du Parlement écossais en 978. **Blantyre,** village natal du missionnaire et explorateur **David Livingston. Chatelherault,** dont le pavillon de chasse du XVIIIe siècle, qui vient d'être rénové, appartient aux **ducs d'Hamilton.** A l'approche de son embouchure, la rivière, creusée pour les besoins de la navigation, puis construite de manufactures et d'usines,

perd beaucoup de son charme. L'imposant château médiéval de **Dumbarton** apparaît d'autant plus fascinant dans cet environnement quasi urbain. Il domine toute la région du haut de son roc basaltique (*Ouvert tlj de 9 h 30 à 19 h, l'après-midi seulement le dimanche. Entrée libre*).

### New Lanark

*A 2 km au sud-ouest de Lanark.*
Premier centre écossais de filature (1799), le village est classé au patrimoine mondial de l'humanité depuis 1986. Niché dans une profonde gorge de la Clyde, **il témoigne d'une éton-**

*Dans la vallée de la Clyde, le village de New Lanark est classé au patrimoine mondial de l'humanité.*

nante harmonie architecturale entre les bâtiments d'habitation et ceux des manufactures. Quelques reconstitutions très soignées, comme le *Village Store*, une épicerie des années 1920, avec tous ses produits d'époque.

## New Millenium Experience

*Ouvert tlj de 10 h 30 à 17 h. Entrée payante.*
Cette animation multimédia permet de mieux appréhender le caractère historique et social de New Lanark, « ville nouvelle » qui fit vivre jusqu'à 2 500 personnes sur place. **Robert Owen**, gendre de David Dale, son fondateur, y créa, dès le début du XIXe siècle, la première cantine, la première coopérative d'achat, la première crèche, le premier atelier d'apprentissage intégré, etc. Ses idées novatrices furent reprises par le Parti travailliste.

## Craignethan Castle

*A 8 km au nord-ouest de Lanark. Ouvert tlj de 9 h 30 à 17 h 30 en saison, seulement le week-end de 9 h 30 à 16 h 30 hors saison. Entrée payante.*
Sur un promontoire abrupt, une maison forte du XVe siècle et un manoir du XVIIe siècle, à la rencontre de deux vallons.

## David Livingston Centre

*Blantyre, à 2 km de Bothwell. Ouvert tlj de 10 h (12 h 30 le dimanche) à 17 h 30. Entrée payante.*
Dans un ancien moulin, un musée attrayant qui retrace, avec minutie, la vie d'un des grands hommes de l'Ecosse.

## Bothwell Castle

*A 2 km au nord de Blantyre. Ouvert tlj de 9 h 30 (14 h le dimanche) à 18 h 30 (16 h 30 hors saison). Entrée payante.*
Sans aucun doute, **l'une des plus imposantes forteresses écossaises du XIIIe siècle**. Ses ruines de grès rouge, qui dominent la vallée de la Clyde, accentuent encore son caractère menaçant. Il passa de main en main au fil des siècles, d'où ses styles différents. Son formidable donjon est source de discussions passionnées entre amateurs d'architecture militaire.

# Clan : au nom du père

Le mot gaélique *clann* signifie « enfant ». A l'origine, le clan, c'était la famille. Chacun devait loyauté et obéissance au père, auquel le fils aîné succédait, d'où les nombreux noms écossais commençant par *Mac*, qui veut dire « fils ». Avec le temps, le terme de clan s'appliqua à tout groupe uni derrière une autorité patriarcale. Au XVIIIe siècle, le port du tartan permit à chaque clan de se distinguer par le choix de couleurs et de motifs originaux. De nos jours, les associations claniques demeurent très actives en Ecosse, mais aussi à l'étranger. Elles veillent notamment à la défense et à la sauvegarde du patrimoine écossais.

# le guide !

**Suivez** Dans le Strathclyde Country Park, la coupole du Hamilton Mausoleum produit le plus long écho du monde : quinze secondes !

# Vers le Sud

*Les souvenirs de Walter Scott et de Robert Burns, les hommes de lettres les plus célèbres d'Ecosse, sont omniprésents dans cette région de riches terres agricoles et de rivages accidentés. Edimbourg et Glasgow sont proches, mais le Sud exprime encore un puissant sentiment de fierté régionale, à l'ombre des vestiges de ses prestigieuses abbayes.*

## LE LOTHIAN

Comme une réponse à la boutade d'**Alphonse Allais**, Edimbourg est une ville à la campagne. Ses faubourgs, ce sont les vallons boisés et les belles plages de sable du **Lothian**. Il y a même **une réserve ornithologique dans la baie d'Aberlady**, sur **le Firth of Forth**, à quelques kilomètres seulement du centre-ville. Les vieilles demeures de **Prestonpans**, les célèbres **terrains de golf de Gullane** et les cottages fleuris de **Dirleton** conduisent à **North Berwick**. Surnommée la Biarritz du Nord, cette station très victorienne est envahie l'été et nostalgique l'hiver, autour des vestiges d'une église du XIIe siècle : **Auld Kirk**. Vingt kilomètres plus loin, encerclée par les falaises, la station de **Dunbar, la ville la moins pluvieuse d'Ecosse**, annonce déjà **les Borders.** Dans **High Street**, de superbes demeures, comme **Town House** (XVIIe siècle) ou **Lauderdale House** (XVIIIe siècle), témoignent de son riche passé, à l'ombre des vestiges d'une forteresse médiévale où se réfugia **Marie Stuart** en 1566. Ecosse oblige : le Lothian offre une grande variété de demeures historiques, notamment sur son littoral. Dès la sortie d'Edimbourg, le festival commence, sur **le Firth of Forth**, avec **Lauriston Castle**, demeure de **sir Archibald Napier, inventeur des logarithmes**, et **Blackness Castle**, forteresse du XIVe siècle. L'arrêt obligé, c'est **Hopetoun House**, le Versailles écossais.

### Hopetoun House

*A 4 km au nord-ouest de South Queensferry. Ouvert tlj d'avril à septembre de 10 h à 16 h 30. Entrée payante.*
Une très vaste demeure de style classique, qui date du XVIIIe siècle. Ses pièces d'apparat sont somptueuses, multipliant **les tapisseries d'Aubus-**

son, les tableaux de Rubens, Gainsborough ou Canaletto, les porcelaines de Meissen, les meubles d'époque. Les jardins ne démérent pas, tracés avec une rigueur très française. En s'y promenant, on aperçoit les célèbres **ponts de South Queensferry**.

## House of the Binns

*A 6 km à l'ouest de South Queensferry. Ouvert de mai à septembre du samedi au jeudi de 13 h 30 à 17 h 30. Entrée payante.*
Un manoir construit en 1612 et agrandi au XIX^e siècle qui présente une riche décoration intérieure. **Ses plafonds en stuc du XVII^e siècle constituent un modèle du genre.**

## Tantallon Castle

*5 km à l'est de North Berwick. Ouvert tlj de 9 h 30 (14 h le dimanche) à 18 h. Entrée payante.*
**Au coucher du soleil, le spectacle laisse sans voix.** Dans la lumière rouge, les flots furieux prennent d'assaut ce bastion du XIV^e siècle, maintes fois assiégé par les Anglais et magnifiquement évoqué par Walter Scott dans son poème *Marmion*.

## Linlithgow Palace

*A Linlithgow, à 28 km à l'ouest d'Edimbourg. Ouvert tlj de 9 h 30 à 18 h 30 en saison, de 9 h 30 (14 h le dimanche) à 16 h 30 hors saison. Entrée payante.*
Dominant un loch et une cité qui conserve nombre de ses maisons anciennes, ce fastueux palais offre des aspects architecturaux très variés, entre portail monumental, fortifications, cour intérieure Renaissance, église gothique. **Ne pas manquer la fontaine, richement sculptée, ni les cuisines, plus prosaïques, mais splendides.**

## Haddington

*Sur la A1, à 20 km à l'est de Dunbar.*
Ville natale du réformateur **John Knox**, elle décline de nombreux monuments classés, dont **St Mary Parish Church** (*Ouvert tlj. Entrée libre*) connue pour ses vitraux et ses gisants. Il faut flâner dans **High Street** et dans **Lodge Street**, bordées de maisons aux façades joliment colorées.

### Lennoxlove House

*A 1,5 km au sud. Ouvert de juin à septembre mercredi, samedi et dimanche de 14 h à 17 h. Entrée payante.*
Une curieuse maison-tour du XIV^e siècle. Mobilier d'excellente facture, nombreuses collections artistiques, plus **le masque mortuaire de Marie Stuart.**

## LES BORDERS

L a frontière avec l'Angleterre est proche, mais ce sont des accents et des noms différents qui résonnent dans les Borders. **Quatre grandes abbayes médiévales sont autant de prestigieux points de repère dans** une région particulièrement hospitalière.

Avec des roches variées, certaines vieilles de 3 milliards d'années, l'Ecosse est le paradis des géologues.

## Walter Scott : plus dure sera la chute

Né le 15 août 1771, Walter Scott, juriste de formation, épousa la carrière littéraire avant d'atteindre trente ans. D'abord attiré par la poésie, il délaissa ensuite les vers pour le genre romanesque. On le considère, aujourd'hui, comme le père du roman historique. A la lecture d'*Ivanhoé*, publié en 1820, l'Europe entière s'enflamma. Respecté, adulé même, l'écrivain, devenu riche, fit bâtir l'extravagant château d'Abbotsford, au cœur des Borders. Il y mena grand train. La faillite de son principal éditeur lui valut un terrible revers de fortune. Pour éponger sa dette, il dut augmenter sa production littéraire. D'une santé fragile, il mourut, épuisé, en 1832.

## Peebles

*A 30 km d'Edimbourg.*

Cernée par les forêts de Glentress et Cardona, cette petite ville bâtie au creux de collines verdoyantes est point de départ de nombreuses randonnées pédestres et équestres. Elle ouvre aussi le chemin de **deux des plus beaux châteaux des Borders.**

### Traquair House

*B709. Ouvert tlj d'avril à octobre de 12 h 30 (10 h 30 en été) à 17 h 30. Entrée payante.*

Un grand manoir de couleur blanche, qui est aussi une des plus anciennes demeures seigneuriales d'Ecosse (XII$^e$ siècle). Nombreux apports architecturaux entre les XIII$^e$ et XVII$^e$ siècles. Il reçut notamment **Marie Stuart** et **Bonnie Prince Charlie.** Les intérieurs sont sobres. La bibliothèque, qui contient 3 500 ouvrages, distille une atmosphère magique. Ne pas manquer les peintures sur bois de la chapelle (XVI$^e$ siècle), ni, dans un genre très différent, **l'excellente bière brassée sur place** et proposée à la dégustation dans les communs.

### Bowhill House

*A708, à 5 km à l'ouest de Selkirk. Château ouvert tlj en juillet de 13 h à 16 h 30. Jardins ouverts tlj de mai à août de 12 h (14 h le dimanche) à 17 h. Entrée payante.*

Sur une hauteur, au confluent des rivières Yarrow et Ettrick, la résidence du duc de Buccleuch marie la sobriété des lignes à la magnificence du décor. De Léonard de Vinci à Gainsborough, **son exceptionnelle collection de tableaux jouit d'une réputation internationale.** Le parc est à l'unisson.

## Kelso et ses environs

*A 76 km d'Edimbourg.*

« La plus belle ville des Borders, sinon la plus romantique », disait d'elle Walter Scott. D'élégantes maisons des XVII$^e$ et XVIII$^e$ siècles bordent ses rues pavées. Au confluent des rivières **Tweed** et **Teviot**, cette douce cité attire de nombreux pêcheurs à la mouche. Elégante place centrale, dominée par son hôtel de ville du XIXᵉ siècle. En ruine, **son abbaye fut une des plus puissantes d'Ecosse.**

## Kelso Abbey

*Ouvert tlj de 9 h 30 à 18 h en saison (16 h hors saison) fermé dimanche matin. Entrée payante.*
La plus célèbre abbaye bénédictine des Borders. Fondée au XIIᵉ siècle, elle a beaucoup souffert des guerres et des pillages. De sa nef à ses murs épais, ce qu'il en reste conserve d'admirables proportions.

## Floors Castle

*A699, à 3 km au nord-ouest de Kelso. Ouvert tlj de Pâques à novembre, de 10 h à 16 h 30. Entrée payante.*
Dominant la Tweed, ce grand château de style seigneurial, tout de dômes et de tourelles, abrite des meubles d'époque français, italiens et anglais, des tapisseries de Bruxelles et des Gobelins, des toiles de **Reynolds, Gainsborough** et **Bonnard,** sans oublier une étonnante collection de porcelaines chinoises.

## Mellerstain House

*A6089, à 12 km au nord-ouest de Kelso. Ouvert du dimanche au vendredi d'avril à septembre de 12 h 30 à 17 h, plus le week-end pascal. Entrée payante.*
Une demeure du XVIIIᵉ siècle due, comme tant d'autres, au célèbre architecte **Robert Adam.** Elle témoigne d'un exceptionnel raffinement, entre les médaillons peints de sa bibliothèque, la richesse de ses plafonds et ses cheminées en dentelle de pierre. Nombreuses toiles de maîtres (**Véronèse, Gainsborough, Van Dyck**).

**Vers le Sud**

*Comme les Anglais, les Écossais apprécient beaucoup les voitures anciennes, surtout les cabriolets.*

# le guide !

Proche de la réserve naturelle de St Abb's Head, Coldingham Bay est le grand rendez-vous des amateurs de plongée sous-marine.

## Jedburgh

*A 74 km d'Edimbourg.*

Ancolies, digitales, reines des prés, fleurissent au long de l'A698 qui relie Kelso à Jedburgh. Jadis objet de tant d'assauts, l'ancien bourg royal vit, aujourd'hui, au rythme paisible de la province. Sur **Queen Street**, on peut visiter **la maison de Marie Stuart** (*Ouvert de mars à novembre de 10 h à 16 h 45. Entrée payante*) et, sur **Castelgate Street**, un musée axé sur la vie carcérale (*Ouvert tlj le matin en semaine, l'après-midi le dimanche. Entrée payante*).

### Jedburgh Abbey

*Ouvert tlj de 9 h 30 à 18 h en saison, de 9 h 30 à 16 h et le dimanche matin hors saison. Entrée payante.*

Fondée, en 1138, par le roi David Ier, elle fut souvent mise à mal par les conflits anglo-écossais. Les arcades et les voûtes qui subsistent sont du plus pur roman. La nef à neuf travées demeure imposante, comme la tour carrée, reconstruite au XVIe siècle.

## Melrose et ses environs

*A 58 km d'Edimbourg.*

Une bourgade pleine de charme avec ses maisons anciennes et ses salons de thé ouatés. Ses deux jardins, **Priorwood Flower Garden** et **Harmony Garden**, semblent échappés d'un film de James Ivory. Son abbaye cistercienne en pierre rose lui vaut une animation touristique quasi constante. Elle est le point de départ du **plus célèbre circuit pédestre des Borders (90 km) : le St Cuthbert's Way**.

### Melrose Abbey

*Ouvert tlj de 9 h 30 (14 h le dimanche) à 18 h 30 (16 h 30 hors saison). Entrée payante.*

C'est aussi David Ier qui est à l'origine de ce monastère, pillé et détruit par les troupes d'**Edouard II** et de **Richard II** au XIVe siècle. Reconstruit trois siècles plus tard, il connut rapidement de nouvelles avanies. **Walter Scott** le sauva de l'oubli. Les bâtiments conventuels sont réduits à leurs fondations, mais l'**église abbatiale conserve de riches éléments décoratifs et architecturaux** de style gothique. Petit musée dans la maison de l'abbé commendataire.

# le guide !

Smailholm Tower, sur la B6397, et Scott's View, sur la B6356, offrent deux exceptionnels points de vue sur les Borders.

### Dryburgh Abbey

*A 8 km à l'est de Melrose. Ouvert tlj de 9 h 30 (14 h le dimanche) à 18 h 30 (16 h 30 hors saison). Entrée payante.*

Baignée par la Tweed, elle conserve **des bâtiments conventuels de style roman qui comptent parmi les mieux préservés d'Ecosse.**

### Abbotsford House

*A7060, à 6 km au sud-est de Melrose. Ouvert tlj de mi-mars à mi-octobre, de 10 h (14 h le dimanche) à 17 h. Entrée payante.*

**Walter Scott** écrivit la majeure partie de son œuvre dans ce manoir qu'il fit construire en s'inspirant des plus célèbres châteaux écossais. Deux points forts : le parc, vraiment majestueux, et la bibliothèque, qui renferme **9 000 ouvrages aux précieuses reliures.** Les inconditionnels des **aventures d'Ivanhoé** apprécieront le cabinet de travail de l'écrivain.

## DUMFRIES ET GALLOWAY

F ace aux Highlands sauvages et aux Borders romantiques, le sud-ouest de l'Écosse est souvent oublié. Sa campagne vallonnée et sa côte découpée réservent, pourtant, d'excellentes surprises.

### Dumfries et ses environs

La « reine du Sud » se présente, de nos jours, comme une bourgade paisible. Elle est pleine du souvenir de **Robert Burns.** C'est que le célèbre poète y passa les cinq dernières années de sa vie. Sa maison est devenue musée, sa tombe mausolée. Entre **un délicieux pont du XVe siècle et le pub enfumé de Globe Inn**, où le barde écossais avait ses habitudes, Dumfries possède aussi un petit musée régional très vivant.

### Dumfries Museum

*Church Street. Ouvert de 10 h à 13 h et de 14 h à 17 h tlj en saison (fermé dimanche matin) et du mardi au samedi hors saison. Entrée payante.*
Aménagé dans un moulin à vent du XVIIIe siècle, il balaie toute l'histoire régionale, entre ses pierres paléochrétiennes et ses instruments aratoires du XIXe siècle.

## Tweed, la laine fraîche

La vallée de la Tweed est célèbre, dans le monde entier, pour sa laine cardée aux couleurs fraîches et naturelles. Grâce à ses moutons. C'est avec les techniques du tissage et du filage que les Borders connurent un développement économique précoce. Grâce à leurs moines. De nos jours, des bourgades comme Galashiels, Hawick ou Selkirk conservent leurs ateliers textiles. Ils sont ouverts à la visite, avec boutique attenante. Dès le milieu du XIXe siècle, cette étoffe, à la fois robuste et élégante, fut adoptée par tous les *gentlemen* britanniques. Le succès de ses mouchetures n'a jamais faibli depuis.

*Le mouton écossais, c'est la laine, mais aussi Dolly, premier clone réussi à partir d'un animal adulte (1996).*

Vers le Sud

*Tranquille capitale du Galloway, Dumfries fut fondée en 1186 et porte le surnom enviable de reine du Sud.*

### Caerlaverock Castle

*B725, à 12 km au sud. Ouvert tlj de 9 h 30 à 18 h 30 (16 h 30 hors saison). Fermé dimanche matin. Entrée payante.*

Toute de grosses tours, de créneaux et de mâchicoulis, une forteresse médiévale plus vraie que nature.

### Drumlanrig Castle

*A76, à 28 km au nord. Ouvert de mai à septembre du vendredi au mercredi de 11 h à 17 h. Entrée payante.*

Une magnifique demeure Renaissance qui abrite des tableaux de **Rembrandt**, de **Murillo**, de **Reynolds**, et des meubles français, souvent exceptionnels, des XVIIe et XVIIIe siècles. Il faut prendre le temps de se promener dans les jardins, tirés au cordeau et fleuris avec art.

## La côte

Les ruines de **Sweetheart Abbey** et de **Dundrennan Abbay** conduisent au port de carte postale de **Kirkcudbright**, tout de bateaux de pêche bigarrés, de belles maisons anciennes et de peintres amateurs. Les amoureux des jardins marqueront une pause à **Threave Garden and Stat**, pour ses superbes parterres forestiers *(Ouvert tlj de 9 h 30 au coucher du soleil. Entrée payante)*. L'A75 passe ensuite par une troisième abbaye, la plus envoûtante, à hauteur de **la péninsule des Machars, Glenluce Abbey.**

# le guide !

**A partir de Newton Stewart s'ouvrent de merveilleuses promenades et excursions à travers les 65 000 ha du Galloway Forest Park.**

### Glenluce Abbey

*A 3 km au nord de Glenluce. Ouvert tlj de 9 h 30 (14 h le dimanche) à 18 h 30. Entrée payante.*

### Castle Kennedy Gardens

*A 8 km à l'est de Stanraer. Ouvert tlj d'avril à octobre, de 10 h à 17 h. Entrée payante.*

Encore des ruines médiévales ? Oui, mais à leur pied fleurit le plus séduisant jardin de la région, dominé par les azalées, magnolias, araucarias et rhododendrons.

## Logan Botanic Garden

*Port Logan. Rhinns of Galloway. Ouvert tlj de mars à octobre de 10 h à 18 h. Entrée payante.*
Pour voir des palmiers sur le sol écossais. Réchauffée par le Gulf Stream, la presqu'île du Rhinns of Galloway a donné naissance à un superbe jardin de plantes subtropicales.

## L'AYRSHIRE

L es faubourgs industriels de **Glasgow** ne sont pas loin, mais la région conserve des landes champêtres et des horizons marins sauvages. On en profite pleinement en suivant la route qui relie **Stranraer** à **Girvan** (A77). Se succèdent de charmantes petites stations balnéaires, comme **Turnberry,** célèbre pour ses terrains de golf, **Ayr, Millport** ou **Largs,** que les habitants de Glasgow fréquentent depuis longtemps. A portée de roues, le **château de Culzean** est considéré, par beaucoup, comme **le chef-d'œuvre du grand architecte Robert Adam.**

## Culzean Castle and Country Park

*A719, baie de Culzean. Ouvert tlj d'avril à octobre de 10 h 30 à 17 h 30. Entrée payante.*
Cette élégante demeure georgienne domine la côte. Elle renferme des collections d'armes, de tapisseries, de tableaux, de meubles, de porcelaines, d'argenterie, qui en font un véritable musée. **Escalier ovale d'une étonnante pureté de lignes,** merveilleux parc de 228 ha, avec **l'île d'Arran, le Mull of Kintyre** et **Ailsa Craig** pour toiles de fond.

## Crossraguel Abbey

*A77, à 9 km au nord-est de Kirkoswald. Ouvert d'avril à octobre de 9 h 30 (14 h le dimanche) à 18 h. Entrée payante.*
Fondée au XIIIᵉ siècle, cette abbaye a laissé de nombreuses ruines, dont un corps de garde fortifié, des bâtiments conventuels et le chœur de l'église à triple abside.

# Queues de poisson

De toutes parts, l'Ecosse est traversée par les rivières et creusée par les lacs. Ses eaux conservent beaucoup de leur pureté. Si les pêcheurs à la ligne européens ont un paradis, il est ici, notamment sur la Tweed, la Spey et la Tay. En moyenne, il s'y prend 10 000 saumons par an. Revers de la médaille : il faut parfois débourser plusieurs centaines d'euros par jour pour y tenter sa chance. Heureusement, on peut aussi taquiner saumon, truite, brochet ou perche pour quelques piécettes dans de nombreux cours et plans d'eau poissonneux bien que moins glorieux. Record à battre : les 65 livres du saumon capturé en 1868, sur la Tay, par G.F. Browne, évêque de Bristol.

Vers le Sud

# le guide !

Suivez

A partir d'Alloway, où naquit Robert Burns, s'ouvre un circuit de 40 km consacré au poète, avec audiovisuel à la clé.

# Vers l'Est

*Trait d'union entre les Basses Terres et les Hautes Terres, cette Ecosse-là a planté des châteaux de légende au cœur de paysages tantôt bucoliques, tantôt mystérieux. A portée de roues d'Edimbourg, elle sème les bourgs historiques entre forêts, rivières et mer. Et c'est avec un même bonheur qu'elle parle de Shakespeare et de la confiture d'oranges.*

## LA PÉNINSULE DE FIFE

C'est une langue de terre qui pénètre profondément dans la mer du Nord. Elle s'enorgueillit de posséder **deux capitales historiques :** **Dunfermline**, où résidaient les rois celtes, et **St Andrews**, ex-siège ecclésiastique de l'Ecosse. A partir du pont sur le Forth (Forth Road Bridge) s'ouvre un univers de basses plaines piquées de moulins à grains et de côtes découpées où se nichent les petits ports de pêche.

### Culross

*A 50 km d'Edimbourg.*

**Beaucoup d'authenticité architecturale** au rendez-vous de cette petite cité qui exploita longtemps le sel et le charbon. Sous l'aile protectrice du *National Trust of Scotland*, elle collectionne les maisons des XVIe et XVIIe siècles, de part et d'autre de ruelles alternant pavés et galets. Avec sa haute façade jaune, **Culross Palace** est la plus spectaculaire (*Ouvert tlj de 11 h à 17 h. Entrée payante*). Elle marie les styles écossais et hollandais, rappelant que la cité commerça longtemps avec les Pays-Bas. En surplomb, les ruines d'une abbaye cistercienne, souvent enveloppées de brume, cultivent le mystère.

### Dunfermline

*A 10 km de Culross.*

Difficile d'imaginer que Dunfermline fut le lieu de résidence préféré des rois d'Ecosse du XIe au XIVe siècle. Aujourd'hui, c'est une

**le guide !**

*Suivez* De toutes récentes pistes cyclables permettent, aujourd'hui, d'explorer la péninsule de Fife à bicyclette.

grosse bourgade sans charme particulier, sinon celui des vestiges de son **abbaye médiévale.**

### Eglise abbatiale

*St Catherine's Wind. Ouvert tlj de 9 h 30 à 18 h 30. Entrée payante.*

Seul témoin encore debout de l'abbaye, elle possède **une nef normande du XIIe siècle, considérée comme la plus belle du pays.** Dans son cimetière, les vieilles pierres tombales sont impressionnantes. Robert Bruce, restaurateur de la royauté écossaise, est enterré ici, ainsi que 22 rois, reines, princes ou princesses d'Ecosse.

### Carnegie Birthplace Museum

*Priory Lane, Moddie Street. Ouvert tlj de 11 h à 17 h en saison, de 14 h à 16 h hors saison. Entrée payante.*

**Andrew Carnegie,** le célèbre milliardaire américain, est né à Dunfermline. Avec ses souvenirs personnels, la visite de sa maison natale ne manque pas d'intérêt.

## Petit tour par la côte

De Culross à St Andrews, la côte offre des panoramas marins réputés, avec **des plongées spectaculaires sur les estuaires de la Forth et de la Tay.** L'itinéraire passe par de délicieux villages de pêcheurs, comme **Crail,** dont les ruelles pentues sont bordées de maisons anciennes. **Pittenweem,** avec son marché aux poissons très animé. **Elie,** paradis des amateurs de planche à voile. Ou **Lower Largo, village natal d'Alexander Selkirk, qui servit de modèle à l'écrivain Daniel Defoe pour son « Robinson Crusoé »** Il faut s'attarder à **Anstruther,** pour ses pubs colorés, mais aussi pour son musée consacré à la pêche en Ecosse : **Scottish Fisheries Museum** (*Ouvert tlj de 10 h à 16 h 30, le dimanche à partir de 14 h. Entrée payante*). Et, bien sûr, à **St Andrews,** capitale historique du golf.

## St Andrews

*A 76 km de Culross.*

Le cœur de la cité a conservé son atmosphère du Moyen Age, époque qui lui fut propice entre toutes. Le rayonnement intellectuel de St Andrews fut intense autour de **la première université du pays,** créée dès le XVe siècle : **Salvador's College. Avec quatre parcours de 18 trous, elle constitue, aujourd'hui, le rendez-vous de prédilection des grandes rencontres internationales de golf.**

Animées par la vie estudiantine, ses rues égrènent de vieilles maisons bien restaurées, quelques jolies églises, comme **Holy Tri-**

*Crail, côté port, avec de jolies demeures anciennes, comme dans la ville haute autour de la place du marché.*

# Golf : des p'tits trous, encore des p'tits trous

Le sport national écossais tire son nom du scot *gowff*, qui signifie « frapper ». Né sur les dunes de sable de St Andrews, le golf entra dans l'histoire du pays en 1457, quand Jacques II l'interdit par décret : il détournait, paraît-il, ses archers de leur devoir ! Dès le XVIe siècle, la cour, Marie Stuart en tête, s'en montra très friande, ne se déplaçant jamais sans ses cannes ni ses balles. Les premiers clubs apparurent au XVIIIe siècle, associant allégrement le bienjouer au bien-manger. Depuis 1897, le club de St Andrews édicte les règles qui régissent ce sport dans la plupart des pays du monde. Aujourd'hui, l'Ecosse possède plus de 450 parcours.

## le guide !

**Suivez** St Andrews possède une des plus belles et des plus lumineuses plages d'Ecosse : The West Sands.

*De nos jours, l'Ecosse possède plus de 450 parcours de golf, record du monde par tête d'habitant !*

nity Church ou **St Salvador's Church**, sans oublier un magnifique corps de garde voûté du XIVe siècle : **The Pends**.

## St Andrews Cathedral

*South Street. Ouvert tlj de 9 h 30 à 18 h (16 h hors saison). Entrée libre.*
Edifiée sur les bases d'un monastère celte, elle fut le plus grand édifice religieux du pays. **Ses ruines demeurent impressionnantes**, notamment celles de sa façade, flanquée de deux tours. A droite de la cathédrale, curieuse petite église du XIIe siècle : **St Rule Church**. Musée *(entrée payante)* réunissant pierres tombales, croix sculptée et **un superbe sarcophage du IXe siècle.**

## St Andrews Castel

*Au nord. Ouvert tlj de 9 h 30 à 18 h (16 h hors saison). Entrée payante.*
Face à la mer, ses ruines du XIIIe siècle ont du romantisme à revendre, même si elles essuyèrent d'atroces combats. Ne pas manquer la découverte de son cachot, taillé dans le roc et profond de plus de 7 m.

## British Golf Museum

*Bruce Embarkment. Ouvert tlj, en saison de 9 h 30 à 17 h 30 (de 10 h à 17 h le dimanche), hors saison de 10 h à 16 h. Entrée payante.*
Au bonheur des golfeurs : toute l'histoire de leur sport favori, dans un musée attrayant à souhait.

## St Andrews Aquarium

*En bordure de mer.*
*Ouvert tlj de 10 h à 18 h (17 h hors saison). Entrée payante.*
Des raies aux requins et des congres aux pieuvres, un bel aperçu de la faune marine des côtes écossaises. Les enfants sont ravis.

## Botanic Garden

*Canongate. Ouvert tlj de 10 h à 17 h (16 h hors saison). Entrée payante.*
Dix hectares de bonheur vert, avec, notamment, de magnifiques rhododendrons et une vaste sélection d'espèces exotiques.

## Dans les terres

Moins pittoresque que la côte, le centre de la péninsule est essentiellement voué à l'agriculture. Eglise romane de **Leuchars,** jolie mairie de **Cupar,** maisons anciennes de **Ceres,** conduisent, en douceur, au village médiéval de **Falkland,** remarquablement conservé et entretenu. Nombreux vieux pubs bourrés de charme. Mais le clou, c'est son ancien relais de chasse, devenu palais féerique sous la baguette magique des **Stuarts.**

### Falkland Palace

*High Street. Ouvert tlj en saison de 11 h (13 h 30 le dimanche) à 17 h 30. Entrée payante.*

La façade Renaissance de son aile sud, qui évoque les châteaux de la Loire, et sa chapelle royale, entièrement lambrissée, sont vraiment exceptionnelles. Une mention particulière pour la collection de tapisseries flamandes du XVIIe siècle. Une autre pour le très ancien jeu de paume, aménagé en 1539 dans les jardins.

## LE PERTHSHIRE

A cheval sur les Lowlands et les Highlands, cette région de lacs, de hautes collines et de châteaux forts réunit les ingrédients les plus significatifs du pays, à une soixantaine de kilomètres seulement de la capitale. Comme inventée pour les randonneurs, elle possède, avec le Cateran Trail, **un superbe circuit pédestre de 96 km.** Un premier arrêt s'impose à **Perth, capitale de l'Ecosse jusqu'au** XVe **siècle.**

## Perth

*A 66 km d'Edimbourg.*

Sur la rive droite de la Tay, la ville décline un riche patrimoine architectural de l'époque georgienne, notamment sur **Rose Terrace.** Nombreux antiquaires autour du **St John's Kirk,** son église (XIIe siècle), restée intacte malgré la virulence des calvinistes. Sur le North Port, ne pas manquer de jeter un coup d'œil à **la Fair Maid's House, plus vieille demeure de la cité** (1600).

### Museum and Art Gallery

*George Street. Ouvert du lundi au samedi de 10 h à 17 h. Entrée libre.*

Une histoire de la ville, qui fait la part belle aux industries de la verrerie et aux distilleries de whisky.

### Fergusson Gallery

*Marshall Place. Ouvert du lundi au samedi de 10 h à 17 h. Entrée libre.*

C'est un étonnant château d'eau qui sert d'écrin aux toiles de John Duncan Fergusson, l'un des peintres écossais les plus appréciés du XXe siècle.

### Scone Palace

*A 3,5 km au nord par l'A93. Ouvert tlj d'avril à mi-octobre de 9 h 30 à 16 h 45. Entrée payante.*

Près de **40 rois furent couronnés sur le site.** Au cœur d'un vaste parc abondamment fleuri, le palais de grès rouge associe les styles gothique et

*Au nord de Perth, Scone Palace, propriété des comtes de Mansfield, réunit de superbes œuvres d'art.*

## Des arbres qui ont de la branche

Le Perthshire possède les arbres les plus célèbres du pays. Ainsi le chêne de Crieff, baptisé *Eppie Callum's Tree* et vieux de six cents ans. Ou l'if de Fortingall, auquel on prête trois mille ans d'existence. Ou le chêne de Birnam, qu'aurait connu Shakespeare. Ou, à Scone Palace, le sapin de Douglas le plus vieux d'Europe. Des hautes futaies de Bruar Falls aux sombres bois de Hermitage se succèdent les essences majestueuses. Certaines furent rapportées d'outre-Atlantique par David Douglas au XIXe siècle. Né dans la région de Perth, il parcourut l'Amérique du Nord pendant dix ans pour le compte de la Société royale d'horticulture, expédiant en Ecosse des dizaines de plantes et d'arbres qui s'y acclimatèrent.

monastique. Il est gigantesque ; sa seule galerie royale mesure 43 m de longueur ! **Impressionnantes collections de porcelaines et d'ivoires, beaucoup de meubles français de belle facture.** A l'extérieur, **réplique de la fameuse pierre de la Destinée** sur laquelle les rois d'Ecosse se firent couronner jusqu'au XIIIe siècle.

## Les environs de Perth

Ils se caractérisent par l'ampleur de leurs horizons. Walter Scott les considérait comme les plus séduisants de toute l'Ecosse.

### Glenturret Distillery

*A85, à 800 m de Crieff et à 32 km à l'ouest de Perth. Ouvert tlj de mars à décembre de 9 h 30 (12 h le dimanche) à 16 h 30 et du lundi au vendredi en janvier et février de 11 h 30 à 14 h 30. Entrée payante.*

Sur la route de Comrie, elle revendique le titre flatteur de **plus vieille distillerie d'Ecosse (1775)** et demeure fidèle aux méthodes traditionnelles.

### Drummond Castle Gardens

*A822 en direction de Stirling, à 4 km de Crieff. Ouvert tlj de mai à novembre de 14 h à 17 h. Entrée payante.*

En contrebas d'une demeure du XVe siècle, reconstruite au XIXe siècle, des jardins à la française célèbres pour leur vaste parterre de buis dessinant une croix de Saint-André. Monumental cadran solaire du XVIIᵉ siècle, magnifiques roses rouges et jaunes, pelouses passées au peigne fin : **l'endroit, remarquablement entretenu, est un modèle de maîtrise et de bon goût.**

### Dunkeld

*A 20 km de Perth.*

A l'écart de la voie express vers Inverness – tant mieux ! –, cette charmante petite cité des rives de la Tay conserve ses maisons du XVIIIᵉ siècle et tout un art de vivre hérité des rois et des prélats. **C'est à partir de son pont à sept arches qu'on l'admire le mieux.** Paisible, presque langoureuse dans son environnement verdoyant, elle se blottit autour des ruines de sa cathédrale, dont les premières pierres furent posées au XIIIᵉ siècle. Jolies promenades au bord de la rivière, dans la ville comme à l'extérieur.

## AU NORD DU PERTHSHIRE

A u nord du Perthshire triomphe une des plus pures campagnes d'Ecosse, alternance de lacs mystérieux, de landes oubliées et de forêts denses. **Se succèdent de délicieuses vallées, comme Glen Clova, Glen Lyon ou Glen Esk.** Les petites bourgades de **Pitlochry, Aberfeldy, Comrie, Killin** ou **Killiecrankie** constituent autant de portes ouvertes sur les loisirs verts, entre les sports nautiques du loch Earn (A85) et les randonnées à cheval de Cairnwell Pass (A93). **Un des plus beaux itinéraires passe par le Tay Forest Park** (B8 019). Il faut également suivre l'A9 en direction de Blair Atholl.

**le guide !**

*Suivez*

A l'extrémité du loch Tummel, la Queen's View offre un panorama aussi superbe que complet du Perthshire, entre douces vallées et pics bleutés.

**le guide !**

*Suivez*

Le barrage hydroélectrique de Pitlochry possède une spectaculaire échelle à poissons, mise en place pour faciliter les migrations saisonnières des saumons sauvages.

Vers l'Est

### Blair Castle

*A 10 km au nord de Pitlochry. Ouvert tlj d'avril à octobre de 10 h à 17 h. Entrée payante.*

Grandiose. Très blanc, très massif, très structuré sur fond de collines boisées, **c'est le château le plus visité d'Ecosse.** Résidence des ducs d'Atholl depuis le XIIIᵉ siècle, il décline, avec maestria, ses collections de meubles, de tableaux, de tapisseries, de porcelaines. Ne pas manquer les curieux objets de papier mâché fabriqués dans l'île de Man, ni l'imposant escalier des portraits.

*Véritable musée, Blair Castel est surnommé le « Victoria et Albert Museum des Highlands ».*

# L'ANGUS

Au sud des monts Grampians, des collines de bruyère, des ports colorés et des châteaux de légende : sinon parmi les régions les plus spectaculaires d'Ecosse, l'Angus s'inscrit, sans conteste, parmi les plus variées, à l'ombre prestigieuse de Shakespeare.

## Dundee

*A 32 km de Perth.*
A vocation maritime, la quatrième ville d'Ecosse poursuit un destin industriel et universitaire, en rêvant à ses baleiniers perdus. **« The Frigate Unicorn »**, le plus vieux navire de guerre britannique, est encore ancré dans son port. Elle occupe une place privilégiée dans le cœur des gourmands, grâce à **sa célèbre confiture d'oranges** *(marmelade),* mise au point par Mme Keiller en 1797, mais aussi à son *Dundee cake.* Dundee, animée par une longue tradition journalistique, est aussi le siège de l'empire de presse Thompson, notamment propriétaire du *Sunday Post,* plus gros tirage dominical de Grande-Bretagne. La ville accueillera bientôt une succursale du célèbre musée *Victoria and Albert* de Londres, qui devrait donner un coup de fouet à l'économie locale (130 000 visiteurs attendus à l'horizon 2015).

### Discovery Point

*Discovery Quay. Ouvert tlj de 10 h (11 h le dimanche) à 17 h (16 h hors saison). Entrée payante.*
Autour du bateau sur lequel **Robert Scott** effectua ses expéditions dans l'Antarctique, le *Discovery,* un passionnant récit de ses traversées et de ses explorations à grand renfort d'effets spéciaux.

### Sensation

*Greenmarket. Ouvert tlj de 10 h à 16 h. Entrée payante.*
Le royaume des sens, qui s'exprime à travers une foule d'expositions scientifiques interactives (plus d'une soixantaine). Un programme qui, servi par des techniques très pointues, permet de mieux appréhender la place, l'évolution et le comportement des diverses composantes de notre monde.

### MacManus Museum and Art Gallery

*Albert Square. Ouvert tlj de 10 h 30 (12 h 30 le dimanche) à 17 h (19 h le lundi). Entrée libre.*
Tout sur les patrimoines archéologique et industriel de la ville, plus une belle collection de peintures européennes.

*Une quarantaine de distilleries ouvrent leurs portes aux visiteurs, avec alambics briqués et dégustation.*

### Verdant Works

*West Henderson's Wynd. Ouvert du lundi au samedi de 10 h à 17 h. Entrée payante.*

Au XIXᵉ siècle, l'industrie de la toile de jute employait 50 000 personnes à Dundee. Son histoire est retracée dans cette ex-fabrique.

### Broughty Castle Museum

*Broughty Ferry. Ouvert tlj sauf lundi hors saison de 10 h (12 h 30 le dimanche) à 16 h. Entrée libre.*

Tout sur la pêche à la baleine, entre aventure et nostalgie.

## Arbroath

*A 20 km de Dundee.*

Port de pêche dynamique et capitale des harengs fumés *(smokies)*, cet ancien bourg royal possède, outre un vaste et élégant front de mer, une étonnante abbaye en grès rouge.

### Arbroath Abbaye

*Centre-ville. Ouvert tlj de 9 h 30 (14 h le dimanche) à 18 h 30 (16 h 30 hors saison). Entrée payante.*

A la rencontre des styles normand et gothique primitif, ses ruines conservent beaucoup de leur splendeur passée, notamment le riche portail de l'église. Petit musée lapidaire aménagé dans le logis de l'abbé.

## Glamis Castle

*Glamis, à 8 km de Forfar. Ouvert tlj d'avril à octobre de 10 h à 18 h (17 h hors saison) de Pâques à décembre. Entrée payante.*

Avec ses multiples tourelles et sa couleur rose, cet énorme château a des accents de conte de fées. **Intimement lié à la vie de la famille royale, il l'est aussi à l'œuvre de Shakespeare :** c'est le lieu présumé de l'action de *Macbeth*. Nombreuses pièces ouvertes au public, richement meublées et décorées. En prime : **le fantôme de lady Glamis**, brûlée vive pour sorcellerie au xvie siècle ! Dans le village, **l'Angus Folk Museum** offre un aperçu très complet des traditions populaires régionales *(Ouvert tlj en saison, de 11 h à 17 h).*

# le guide !

**Law Hill** permet d'embrasser, d'un seul coup d'œil, la ville et ses deux ponts, dont le Tay Road Bridge. Avec ses 2 250 m, c'est un des plus longs d'Europe.

# Pierres et Pictes, pierres épiques

Le district d'Angus est particulièrement riche en vestiges pictes. Les premiers peuples d'Ecosse y ont abandonné quelque 2 000 pierres, dites « symboliques ». On pense qu'elles marquaient un territoire, signalaient une sépulture, célébraient une victoire. Simples rochers à peine gravés ou véritables monuments finement ciselés : elles revêtent toutes les formes. Les villages de St Vigeans, Aberlemno, Nigg, Meigle, Brechin en possèdent plusieurs dizaines. Ainsi, dressé dans le cimetière d'Aberlemno, un monolithe admirablement sculpté présente une scène de bataille entre les Pictes et les Angles.

**Vers l'Est**

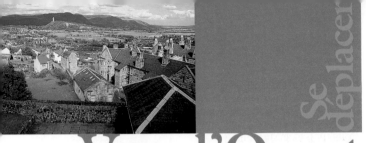

# Vers l'Ouest

*La réalité surenchérit sur le rêve, avec des collines encore plus rondes, des montagnes encore plus pointues, des landes encore plus rousses, des lochs encore plus profonds, des côtes encore plus déchiquetées, des châteaux encore plus envoûtants. Cette Ecosse des traditions est aussi celle des superlatifs.*

## STIRLING

À 55 km d'Edimbourg. Jadis, toutes les routes menaient à Stirling, **porte historique des Highlands.** Quiconque contrôlait la cité contrôlait le pays. Pas moins de sept batailles se déroulèrent au pied de ses remparts. Aujourd'hui, son château monte toujours la garde du haut de son éperon abrupt. Tout autour, de belles demeures Renaissance, telles **Argyll's Lodging** ou **Mar's Wark,** et de mystérieuses ruelles pavées. La ville moderne, elle, multiplie les boutiques attrayantes.

### Stirling Castle

*Esplanade. Ouvert tlj de 9 h 30 à 18 h (17 h hors saison). Entrée payante.*
Récemment restauré, **le Great Hall** a retrouvé ses atours du XVIe siècle. Dans les appartements royaux, magnifiques médaillons en bois sculpté d'époque Renaissance. Exposition consacrée au bataillon des Argyll and Sutherland Highlanders dans l'ancien logis du roi. Ne pas quitter les lieux sans jeter un coup d'œil sur les cuisines souterraines, très évocatrices des festins d'antan.

### Stirling Old Town Jail

*St John Street. Ouvert de 9 h 30 à 17 h (15 h 30 hors saison). Entrée payante.*
La prison comme si vous y étiez, entre visite des cellules et évocation de la vie carcérale. Très, très spécial…

### Smith Art Gallery and Museum

*Dumbarton Road. Ouvert tlj sauf le lundi de 10 h 30 (14 h le dimanche) à 17 h. Entrée payante.*
Pour tout connaître de l'histoire de la cité.

# LES ENVIRONS DE STIRLING

### Dunblane

*A 7 km au nord.*

Traversée par le fleuve Allan, cette élégante bourgade se blottit autour d'une **cathédrale fondée au XIIe siècle.** Sa magnifique façade gothique et ses stalles en bois sculpté du XVe siècle justifient vraiment le détour. Petit musée attenant *(Ouvert tlj de 9h30 (14h le dimanche) à 18h30 (16h hors saison). Entrée libre).*

### Doune Castle

*Doune, à 8 km de Dunblane. Ouvert tlj en saison de 9h30 à 18h30, hors saison de 9h30 à 16h30. Fermé jeudi après-midi, vendredi et dimanche matin. Entrée payante.*

Puissance et majesté, entre un donjon de 30 m de hauteur qui domine la rivière Teith et une vaste salle d'apparat.

## LES TROSSACHS ET LES CAMPSIE

L'écologie triomphe sans partage entre leurs collines luxuriantes, leurs lochs purs et leurs nombreux chemins forestiers, assidûment fréquentés par poètes et randonneurs depuis le XIXe siècle. Dans le **Queen Elizabeth Forest Park,** parc naturel de 25 000 ha, vivent encore le chat sauvage, le cerf rouge et l'aigle royal. Quelques villages aux cottages de couleur tendre, comme **Luss, Brig'O Turk, Balloch, Tarbet, Crianlarich** ou **Killin,** multiplient les boutiques de souvenirs et les salons de thé ouatés.

### Le loch Lomond

*A 60 km à l'ouest de Stirling.*

C'est la vedette régionale, en même temps que **la plus vaste étendue d'eau douce de Grande-Bretagne :** 37 km de longueur sur 8 km de largeur. Le West Highlands Way, un des plus célèbres chemins de grande randonnée écossais, longe sa rive est.

### Rob Roy and Trossachs Visitor's Centre

*Callander. Ouvert tlj de 9h30 à 18h. Entrée libre.*

Installée dans l'ancienne église, une exposition très vivante consacrée à Rob Roy (1671-1734), célèbre hors-la-loi issu du clan MacGregor.

Vers l'Ouest

*Moutons en liberté, campagne luxuriante, collines… Un paysage droit sorti de l'œuvre de Walter Scott.*

# LA ROUTE DES TROSSACHS

**le guide !**

A Aberfoyle, le Forest Park Visitor's Centre *(ouvert tlj de 10 h à 18 h)* offre une très solide documentation pour découvrir la région.

**D**e **Callander**, il faut suivre l'A821, qui rejoint le **loch Katrine** en longeant le **loch Venacher** et le **loch Achray**. L'itinéraire est vraiment divin, même s'il se révèle très fréquenté en été. Pour profiter pleinement du loch Katrine (16 km de longueur sur 3,2 km de largeur), **le mieux est d'embarquer à bord du « Sir Walter Scott »** *(tlj d'avril à octobre),* pittoresque vapeur construit en 1900. A l'ouest d'**Aberfoyle** se succèdent d'autres lacs à la surface lisse et étincelante, tels les lochs Ard, Chon et Arklet. **S'il ne fallait en voir qu'un, ce serait le lake of Menteith** (A873), pour son étonnant prieuré.

### Inchmahome Priory

*Lake of Menteith. Ouvert d'avril à septembre de 9 h 30 (14 h le dimanche) à 18 h. Entrée payante.*

Romantiques et spectaculaires, ses ruines se dressent sur la plus grande île du lac. Elles sont accessibles par bateau au départ de Port of Menteith. La salle capitulaire abrite une belle tombe à deux gisants. Le prieuré fut fondé au début du XIII^e siècle. La jeune Marie Stuart y trouva refuge avant de gagner la France.

## LES WESTERN HIGHLANDS

**A** l'ombre du **Ben Nevis, plus haute montagne de Grande-Bretagne** (1 344 m d'altitude), la région bénéficie des vents doux qui soufflent de l'Atlantique. S'y épanouissent de magnifiques jardins, notamment dans **l'Argyll**. Les montagnes se reflètent dans les lacs, les maisons dans les rivières. Très découpé, le littoral sème les îles et les îlots comme le Petit Poucet les cailloux.

### Fort William

*A 102 km d'Inverness.*

Nœud de communications routières, ferroviaires et fluviales, la ville est envahie par les touristes. Ils skient à **Glencoe** l'hiver et escaladent **le Ben Nevis** l'été.

### West Highlands Museum

*Cameron Square. Ouvert tlj de 9 h 30 à 17 h 30 (le dimanche de 14 h à 17 h). Entrée payante.*

L'alibi culturel d'une cité vouée au sport et au commerce, avec des documents retraçant toute l'histoire de la région. Une place de choix est réservée

*Point culminant du Royaume-Uni (1 344 m), le Ben Nevis attire les skieurs, les alpinistes et… les poètes.*

à **Bonnie Prince Charlie**, enfant chéri des Highlanders.

## LES ENVIRONS

En quittant Fort William, il faut absolument emprunter **l'A830 en direction de Mallaig**. Très fréquentée en période estivale, cette route en courbes et en bosses traverse des sites exceptionnels, naturels ou historiques. Ainsi **Neptune's Staircase**, spectaculaire ensemble de huit écluses, **le loch Morar** et ses plages de sable blanc de silice ou le petit village de **Glenfinnan**, haut lieu de la saga des Highlands. Montagnes dénudées, lochs romantiques, landes caillouteuses piquées de moutons hirsutes, plus quelques superbes échappées sur les îles, notamment à partir du **Sound of Arisaig : l'itinéraire est un des plus beaux d'Ecosse.**

### Mallaig

*A 75 km de Fort William.*
Les pêcheurs de hareng y traquent, aujourd'hui, la langouste. Ce petit port de pêche, légitimement fier de ses plages, est relié à **Skye**, mais aussi aux îles de **Muck**, **Eigg**, **Rum** et **Canna**, baptisées Cocktail Islands.

### Mallaig Heritage Center

*Station Road. Ouvert d'avril à novembre du lundi au samedi de 11 h à 16 h, de 10 h à 17 h en été. Entrée payante.*
Pour se familiariser avec les traditions régionales.

## ARGYLL ET BUTE

### La péninsule de Kintyre

D'une centaine de kilomètres de longueur, elle offre une vue magnifique sur les îles de **Gigha**, **Islay** et **Jura**, plus un adorable petit port, **Tarbert**, dominé par les ruines d'un château médiéval. A son extrémité sud, **Campbeltown**, la ville principale, vaut surtout pour ses hôtels et ses restaurants.

# le guide !

**Suivez** De juin à septembre, un train à vapeur de la *West Highland Railway Line* relie Fort William à Mallaig (66 km). Panoramas à couper le souffle.

**Vers l'Ouest**

# Saint Whisky

Le whisky constitue la première source de revenu à l'exportation de l'Ecosse. Un tiers de sa production part pour les Etats-Unis et un cinquième pour l'Union européenne. Il existe quatre grandes régions productrices : Highlands, Lowlands, Campbeltown et Islay. Aujourd'hui, la plupart des distilleries sont aux mains de grands groupes internationaux. Elles sont 127 au total, contre 161 au début du XXe siècle. Selon un texte du XVe siècle, c'est un moine qui, le premier, aurait transformé le malt en eau-de-vie, comme d'autres le plomb en or. Il se nommait John Cor. Tous les Ecossais réclament sa béatification.

## Inveraray

*A 100 km au nord-ouest de Glasgow.*

Cet ancien bourg royal conserve de nombreuses demeures du XVIII<sup>e</sup> siècle en bordure du **loch Fyne**. Sur **Front Street**, le campanile de son église paroissiale offre une merveilleuse vue sur la cité et sur la région.

### Auchindrain Township Open Air Museum

*A833, à 10 km au sud-ouest. Ouvert tlj d'avril à octobre de 9 h 30 à 17 h 30. Entrée payante.*

Des chaumières, des charrues, des jardins d'herbes aromatiques : c'est tout le passé agricole des Highlands qui est au rendez-vous de ce vaste musée en plein air. Nostalgie, nostalgie…

### Inveraray Castle

*Ouvert du lundi au jeudi d'avril à octobre de 10 h à 13 h et de 14 h à 17 h 45, plus le vendredi en été et le dimanche après-midi. Entrée payante.*

Une demeure du XVIII<sup>e</sup> siècle construite sur les ruines d'un manoir de la fin du Moyen Age. Ses intérieurs sont superbes, entre plafonds à caissons, panneaux peints, tapisseries de Beauvais, pièces de porcelaine et d'orfèvrerie, riche mobilier, sans oublier **les portraits de famille par Gainsborough, Raeburn et Ramsay,** ni son impressionnante collection d'armes.

### Inveraray Jail

*Centre du bourg. Ouvert tlj de 9 h 30 à 18 h, de 10 h à 17 h hors saison. Entrée payante.*

A la fois tribunal et prison, ce bâtiment du XIX<sup>e</sup> siècle a été reconverti en musée. Statues de cire et mannequins animés le rendent à sa vocation première, devant un public impressionné.

### Crarae Woodland Gardens

*A33, à 25 km au sud-ouest d'Inveraray. Ouvert tlj de 9 h 30 à 17 h. Entrée payante.*

A flanc de collines, un parc de 20 ha créé au début du XX<sup>e</sup> siècle sur le loch Fyne. Il est considéré comme La Mecque écossaise des rhododendrons et des azalées.

## Oban et ses environs

*A 50 km de Fort William.*

Port de pêche et d'embarquement pour **les Hébrides**, cette ville souriante est dominée par un curieux monument : **la Mac-Caig's Folly,** réplique inachevée du Colisée de Rome, voulue par un banquier du XIX<sup>e</sup> siècle.

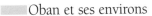

*Catholiques ou protestants, les lieux de culte écossais bénéficient, aujourd'hui, du respect de tous.*

### Arduaine Gardens

*A 20 km au sud d'Oban. Ouvert tlj de 9 h 30 au coucher du soleil. Entrée payante.*

Une des plus belles collections botaniques d'Ecosse, à la fois favorisée par l'acidité du sol, l'abondance des précipitations et la douceur du Gulf Stream.

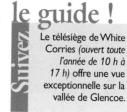

# le guide !

### Dunstaffnage Castle

*A85, Dunbeg. Ouvert tlj d'avril à septembre de 9 h 30 (14 h le dimanche) à 17 h. Entrée payante.*

Une forteresse des XIII<sup>e</sup> et XVI<sup>e</sup> siècles, dont les trois tours rondes gardent l'entrée du **loch Etive**.

### Oban Sealife Center

*Barcaldine, A828, rive sud du loch Creran. Ouvert tlj de 9 h à 18 h. Entrée payante.*

Grâce à ses vastes aquariums, on y perce quelques-uns des mystères de la vie sous-marine écossaise.

### Glencoe

*A82, rive sud du loch Leven.*

Avec ses montagnes dénudées, ses horizons farouches, sa maigre végétation, **c'est un des sites naturels les plus envoûtants d'Ecosse.** Le souvenir du massacre des **MacDonald** par les troupes de **Robert Campbell**, le 13 janvier 1692, ajoute encore à l'émotion qui naît de ce lieu presque surnaturel.

## ARRAN

*P*lusieurs traversées par jour au départ d'Ardrossan (1 h) et de Cloanaig (30 min, en été seulement). Face à la côte orientale du Kintyre, cette île de 32 km de long sur 16 km de large réunit tous les paysages écossais ou presque, colonies de phoques en prime. Randonneurs, pêcheurs, grimpeurs, golfeurs, la fréquentent assidûment. Il faut jeter un coup d'œil sur **Lochranza**, charmante station balnéaire de la côte nord. A l'ombre de sa forteresse en ruine, plutôt inquiétante, elle distille son propre whisky. Sur la côte ouest, les cercles de pierres de **Machrie Moor** conservent tout leur mystère. Faute de secret, ils ont, au moins, livré leur âge : quatre mille ans. **En été, des ferries relient le port à celui de Rothesay, dans la petite île de Bute.** Le château mérite une visite approfondie.

### Brodick Castle

*Ouvert tlj de mai à septembre, de 11 h 30 à 17 h, samedi et dimanche après-midi en octobre. Entrée payante.*

Edifié au XIII<sup>e</sup> siècle et propriété des ducs de Hamilton de 1503 à 1958, c'est une imposante bâtisse en grès rouge qui se détache sur **le Goat Fell** (874 m). De ses trophées de chasse, exposés dans la cage d'un escalier monumental, à sa collection de peintures, qui réunit des œuvres de Gainsborough, Watteau, Turner ou Clouet, tout est grandiose, y compris ses jardins.

**Suivez**

**Vers l'Ouest**

# Vers le Nord

*Là-haut, c'est le bout du monde. Entre ses forêts de pins et de bouleaux, ses lacs sombres et le vol majestueux de ses aigles, le nord de l'Ecosse collectionne des paysages époustouflants et quelques-uns des meilleurs whiskies du pays. De ses sommets mauves à ses côtes découpées, on s'étonnerait à peine que le port du kilt soit obligatoire.*

## LES GRAMPIANS

C'est le pays des distilleries de whisky et des nobles demeures, des plages et des landes, des plaines fertiles et des monts boisés. **Il y a un peu de toute l'Ecosse dans cette région moins pluvieuse que les autres,** qui s'organise autour de **la troisième ville du pays : Aberdeen.** Elle compte près de 200 000 habitants.

### Aberdeen et ses environs

*A 195 km d'Edimbourg.*

**Aberdeen compte parmi les villes les plus fleuries de Grande-Bretagne.** Les plus joyeuses aussi, grâce à sa population estudiantine. On y oublie très vite ses sévères façades de pierre grise, qui lui valent le surnom de « cité de granit ». Du Moyen Age, **le troisième port de pêche britannique** a gardé places pavées, ruelles tortueuses et goût du mystère, sans oublier deux églises : **St Nicholas (1157)** et **St Machar (1357).** L'industrie pétrolière lui donne un second souffle. Ses nombreux centres commerciaux, ses pubs et ses restaurants très typés, ses boutiques *so scottish*, en font **une halte incontournable sur le chemin des Hautes Terres.** Le centre-ville s'étend de part et d'autre **d'Union Street,** qui débouche sur la **Mercat Cross :** une croix emblématique de l'Ecosse (XVIIe-XIXe siècles),

## le guide !

**Suivez**

Sur la rivière Don, Aberdeen possède le plus ancien pont médiéval : Brig O'Balgownie, accessible par un sentier de Seaton Park.

qui veille sur **un pittoresque marché de produits locaux** *(jeudi et samedi de 8 h à 17 h).*

## Provost Skene's House

*Guestrow. Ouvert du lundi au samedi de 10 h à 17 h, dimanche de 13 h à 16 h. Entrée payante.*
Bâtie en 1545, c'est une des plus anciennes demeures de la ville. La décoration de ses diverses pièces couvre deux siècles, du style georgien au style victorien. **Le Great Hall** contient un étonnant mobilier en chêne massif du XVIIᵉ siècle.

## Marischal College

*Boad Street. Ouvert tlj de 10 h (14 h le dimanche) à 17 h. Entrée libre.*
Une impressionnante façade en granit néogothique qui abrite, à la fois, une partie de l'université d'Aberdeen et un petit musée anthropologique.

## Art Gallery

*Schoolhill. Ouvert tlj de 10 h à 17 h. Entrée libre.*
Essentiellement consacrée aux artistes écossais et anglais, elle expose aussi des œuvres de **Toulouse-Lautrec** et de **Monet.**

## Gordon Highlanders Museum

*Viewfield Road. Ouvert tlj de 10 h 30 (13 h 30 le dimanche) à 16 h 30. Entrée payante.*
Trois siècles d'histoire du célèbre régiment *highlander* retracés avec talent.

## King's College

*High Street. Ouvert du lundi au vendredi de 9 h à 17 h. Entrée libre.*
Fondée en 1495, la troisième université d'Ecosse conserve des bâtiments anciens exceptionnels, comme sa chapelle gothique et sa tour ronde.

## Aberdeen Maritime Museum

*Shiprow. Ouvert tlj de 10 h (de 12 h à 15 h le dimanche) à 17 h. Entrée payante.*
Aménagé dans une des plus anciennes demeures de la ville, **La Provost Ross House,** il parle, avec éloquence, de construction navale, de sauvetage en mer, de plate-forme pétrolière, de pêche hauturière.

# La piste maltée

*Glenfiddich, Glen Grant, Glen Livet, Cardhu…* Au creux des vertes collines des Grampians naissent quelques-uns des plus célèbres whiskies du pays. Ils représentent la moitié de la production écossaise de *single malt.* Un circuit balisé d'une centaine de kilomètres – The Malt Whisky Trail – permet de visiter sept distilleries, dont celle de Strathisla, à Keith, d'un charme suranné. Il passe aussi par l'étonnante fabrique de tonneaux du Speyside Cooperage Visitor Centre, à Craigellachie. Dans toute l'Ecosse, ce sont, au total une quarantaine de distilleries qui ouvrent ainsi leurs portes aux visiteurs, des Highlands à l'île d'Islay.

# le guide !

Suivez

Du lundi au vendredi, sur le port, le marché aux poissons d'Albert Basin, animé et coloré, rappelle qu'Aberdeen est d'abord un immense centre de pêche.

**Suivez**

Un quart des menhirs du Royaume-Uni se trouvent dans les Grampians. Un circuit fléché (Stone Circles Trail) permet de découvrir les plus représentatifs.

Dunnottar Castle

*A 30 km au sud d'Aberdeen. Ouvert tlj d'avril à octobre de 9 h à 18 h (de 14 h à 17 h le dimanche). Entrée payante.*

Sur un piton rocheux séparé de la terre ferme par un ravin, ses ruines toisent la mer. Elles servirent de décor au film de Zeffirelli, *Hamlet,* avec Mel Gibson. On ne pouvait rêver écrin plus dramatique. Au XVIIe siècle, les Ecossais y cachèrent leur trésor royal *(regalia).*

## Le Royal Teeside

**Kincardine O'Neil, Aboyne, Ballater, Banchory, Braemar :** très anciennes, les bourgades qu'on traverse offrent d'excellentes possibilités d'excursions estivales. **Le Royal Teeside se vit, d'abord, au naturel.** Ce qui ne l'empêche pas de décliner quelques superbes châteaux.

Drum Castle

*A 15 km d'Aberdeen. Ouvert tlj de mai à octobre de 13 h 30 à 16 h 45. Jardins ouverts toute l'année de 9 h 30 au coucher du soleil. Entrée payante.*

Une demeure médiévale agrandie, du XVIIe au XIXe siècle, autour de son donjon rectangulaire. De très beaux meubles agrémentent les appartements construits sous Jacques Ier. **Superbes jardins.**

Crathes Castle

*A 25 km d'Aberdeen. Ouvert tlj d'avril à novembre, de 11 h à 16 h 45. Jardins ouverts toute l'année de 9 h 30 au coucher du soleil. Entrée payante.*

Ses jardins clos font l'admiration et le bonheur des jardiniers. Construit en L, le château, tout de tourelles et de cheminées, vaut d'abord pour **ses extraordinaires plafonds peints** (XVIe et XVIIe siècles), **uniques en Ecosse.**

Balmoral

*A 88 km d'Aberdeen. Ouvert tlj d'avril à juillet, de 10 h à 17 h, sauf si présence de la famille royale. Entrée payante.*

Assidûment fréquenté par la reine Victoria, il constitue un symbole fort de la baisse de tension entre l'Ecosse et l'Angleterre. Seuls sont ouverts au public les jardins et la salle de bal.

## L'ABERDEENSHIRE

D'Aberdeen à Inverness et d'une côte morcelée à une campagne verdoyante, la région, en creux et en bosses, annonce déjà les Hautes Terres. Par la route de la côte (A90 et A98), se succèdent de délicieux petits ports de pêche, comme **Cruden Bay, Pennan ou Crovie.** Centre de pêche au hareng, **Fraserburgh abrite un curieux musée consacré aux phares** *(ouvert tlj de 10 h (12 h le dimanche) à 18 h (16 h hors saison). Entrée payante).* L'ancien bourg royal de **Banff,** lui, possède **le manoir baroque le plus léché de tout le Nord-Est : Duff House.** Récemment restauré, il abrite meubles et peintures provenant des collections nationales écossaises *(ouvert tlj d'avril à novembre de 11 h à 17 h. Entrée payante).*

### Pitmedden Gardens

*A 22 km d'Aberdeen. Ouvert de mai à septembre de 10 h à 17 h. Entrée payante.*

C'est LE jardin de l'Aberdeenshire. Ses parterres, abondamment fleuris et entretenus avec soin, témoignent de la rigueur du XVIIe siècle. Un lieu inspiré.

### Castle Fraser

*A 25 km d'Aberdeen. Ouvert de mai à septembre de 13 h 30 (11 h en été) à 16 h 45, plus le week-end en octobre. Entrée payante.*

Au bout d'une allée majestueuse, un château des XVIe et XVIIe siècles, le plus vaste de la région, multiplie tours d'angle, mâchicoulis et toits ouvragés.

### Haddo House

*A 30 km d'Aberdeen. Ouvert tlj d'avril à septembre de 13 h 30 à 16 h 45. Entrée payante.*

Beaucoup d'élégance et de raffinement au rendez-vous de cette demeure du XVIIIe siècle. On s'attardera dans **la bibliothèque**, pour sa collection de portraits, mais aussi dans **le parc**, admirablement dessiné.

### Fyvie Castle

*A 40 km d'Aberdeen. Ouvert d'avril à septembre de 13 h 30 (11 h en été) à 17 h 30, plus le week-end en octobre. Entrée payante.*

Entre eau et bois, **le plus beau château baronnial de la région,** tout de tours et de tourelles. Son escalier circulaire fait l'admiration des spécialistes. Riche collection de peintures.

### Huntly Castle

*A 50 km d'Aberdeen. Ouvert tlj en saison, de 9 h 30 (14 h le dimanche) à 18 h. Hors saison, fermé jeudi après-midi et vendredi. Entrée payante.*

Intéressant pour ses différents styles d'architecture, de la place forte au palais.

### Elgin

*A 95 km d'Aberdeen.*

Une ville coup de cœur, bâtie en grès, dont l'artère principale, **High Street, aligne de belles maisons à arcades du XVIIIe siècle.** Surnommée la Lumière du Nord, sa cathédrale attire de nombreux visiteurs.

*Construit au XVIe siècle, Crathes Castle fut agrandi par la suite et possède, aujourd'hui, de délicieux jardins clos.*

*Elevés en Ecosse depuis le XVIe siècle, les bœufs des Highlands sont identifiables à leur poil long.*

## Elgin Cathedral

*Ouvert tlj de 9 h 30 (14 h le dimanche) à 18 h (16 h hors saison). Entrée payante.*

Bâtie au XIIIe siècle, elle fut incendiée, saccagée, puis abandonnée au temps de la Réforme. La nef a disparu, mais le portail, les tours, le chœur, toujours debout, gardent toute leur force et toute leur superbe, cernés par des pierres tombales ciselées avec art. **La chapelle latérale, bien conservée, possède une exceptionnelle voûte à nervures.**

## D'ELGIN À INVERNESS

La côte collectionne les stations balnéaires au climat âpre mais au cœur joyeux, comme **Lossiemouth, Burghead, Findhorn ou Nairn.** Un arrêt s'impose à **Forres** (A96), pour son remarquable bloc de pierre sculpté, vieux d'un millénaire : **Sueno's Stone**, 6 m de hauteur et une forte influence picte.

### Brodie Castle

*A 5 km de Nairn. Ouvert tlj d'avril à octobre de 11 h (13 h 30 le dimanche) à 16 h 30. Entrée payante.*

Une maison forte du XVIe siècle, adoucie et embellie au cours des siècles suivants. Elle vaut d'abord pour sa collection de tableaux et pour ses meubles anciens d'origine française.

## LES NORTHERN HIGHLANDS

Rendez-vous avec le mythe ! Nessie ouvre le chemin d'un des derniers sites vraiment sauvages d'Europe, entre le ressac d'un littoral déchiqueté et le vent d'une lande fantomatique.

### Inverness et ses environs

Capitale des Highlands, Inverness, située à l'embouchure de **la rivière Ness**, est l'étape obligée à la jonction des Grampians et des Highlands du Nord. La ville est animée, mais sans éclat.

Maintes fois assiégée, incendiée et pillée, elle conserve peu d'édifices anciens. Les plus représentatifs se trouvent dans **Church Street, une rue très commerçante.** Ainsi **High Church**, église du XIIIe siècle, **Dunbar's Hospital** (1688) ou **Abertarff House**, belle demeure du XVIe siècle célèbre pour son escalier en spirale.

**le guide !**

Suivez

Le village de Craigellachie (A941) s'enorgueillit de posséder un étrange pont... en fonte.

### Museum and Art Gallery

*Castle Wynd. Ouvert du lundi au samedi de 9 h à 17 h. Entrée libre.*

A visiter absolument avant de s'enfoncer dans les Highlands. Le lieu présente de nombreux documents relatifs à l'histoire de la région, plus une galerie de peinture.

### Balnain House

*Huntly Street. Ouvert tlj (du mardi au samedi hors saison) de 10 h à 17 h. Entrée payante.*

Cette demeure georgienne est entièrement consacrée à **la musique des Highlands.**

### Culloden Battlefield

*B9006, à 8 km à l'est d'Inverness. Ouvert tlj de 9 h à 18 h en saison, de 10 h à 16 h hors saison (fermé en janvier). Entrée payante.*

Un musée qui rend hommage à la tentative de restauration des **Stuarts,** menée par **Bonnie Prince Charlie** le 16 avril 1746. Ses 5 000 Highlanders furent écrasés par les hommes du duc de Cumberland.

### Fort George

*B9039, à 17 km à l'est d'Inverness. Ouvert tlj de 9 h 30 à 18 h 30 (16 h 30 hors saison). Fermé le dimanche. Entrée payante.*

Cette forteresse du XVIIIe siècle offre une vue panoramique unique sur la baie d'Inverness.

### Cawdor Castle

*B9090, entre Nairn et Inverness. Ouvert tlj de mai à octobre de 10 h à 17 h 30. Entrée payante.*

Tours, douves, pont-levis : ce château fort paraît échappé d'une bande dessinée. Son parc offre de délicieuses promenades. La légende veut que Macbeth y ait vécu.

### Les Cairngorms

Oreille-de-souris, pied-de-lièvre, luzule, véronique : la flore donne le ton. Au sud-est d'Inverness, **les Cairngorms,** qui culminent à 1 309 m, constituent **la plus haute chaîne de montagnes de toute la Grande-Bretagne.** On y trouve même une station de sports d'hiver : **Aviemore.** C'est aussi le paradis des pêcheurs de saumon, qui ont leurs habitudes à **Grantown-on-Spey,** et des randonneurs, qui disposent des nombreux sentiers balisés du **Glen More Forest Park.**

*A l'embouchure du Ness, Inverness et sa High Church, construite au XIIIe siècle et restaurée à la fin du XVIIIe.*

**Vers le Nord**

## T'as le bonjour de Nessie !

Une légende du VIᵉ siècle, attachée à la venue de saint Columba au bord du loch Ness, parle déjà d'un monstre. Mais il fallut attendre les années 1930 pour que le mythe trouve une résonance planétaire, avec la publication de plusieurs photographies de la « bête ». Elles étaient truquées. Qu'importe : Nessie était né. Depuis, les témoignages n'ont pas manqué. Ils parlent d'une bestiole à petite tête, à long cou et à gros abdomen, signalement qui s'apparente à celui du plésiosaure. Les expéditions scientifiques ne sont jamais parvenues à débusquer l'« animal », officiellement disparu depuis 70 millions d'années. Mais Nessie reste un excellent produit marketing.

## le guide !

### Suivez

Le Great Glen offre deux intéressantes possibilités de croisière, l'une sur le loch Ness, l'autre sur le Caledonian Canal.

## Le Great Glen

Cette vallée, qui s'étire sur le tracé d'une faille géologique très ancienne, sert d'écrin au fameux **loch Ness** et à son arlésienne de monstre. 37 km de longueur, 250 m de profondeur et un mystère vieux de quatorze siècles. **Le Great Glen, c'est, d'abord, un univers souvent désert de montagnes mauves, de forêts de pins, de champs de bruyères.** D'eaux noires et profondes aussi, entre **le loch Lochy, le loch Oich** et deux fjords : **le Moray Firth** au nord et **le loch Linnhe** au sud.

### Official Monster Exhibition Centre

*A82. Drumnadrochit, au sud d'Urquhart Bay. Ouvert tlj de 9 h à 20 h. Entrée payante.*
Une affaire qui marche ! Son exposition historico-scientifique et ses projections audiovisuelles autour du monstre attirent la foule. Ses boutiques aussi.

### Urqhuart Castle

*A82. Drumnadrochit, au sud d'Urqhuart Bay. Ouvert tlj de 9 h 30 à 18 h 30 (16 h 30 hors saison). Entrée payante.*
Ses ruines féodales s'avancent sur les eaux noires du loch Ness. Sa tour constitue un poste d'observation idéal pour guetter les apparitions de Nessie.

### Fort Augustus

*A 55 km d'Inverness.*
A la pointe sud du loch Ness, un centre touristique très couru en été. Il vaut surtout pour son **petit musée vivant consacré à la vie quotidienne dans les Highlands** (*ouvert tlj d'avril à octobre, de 10 h à 18 h. Entrée payante*) et pour son abbaye bénédictine (*ne se visite pas*).

*Nessie, l'illustre monstre qui hanterait le loch Ness, se montre enfin. Mais il ne s'agit que d'une reconstitution.*

90

*Sur la rive nord du Dornoch Firth se succèdent de vastes plages à caractère familial, dont celle de Dornoch.*

## Eilean Donan Castle

*Dornie, à l'extrémité ouest du loch Duich. Ouvert tlj en saison de 10 h à 17 h 30. Entrée payante.*
De *Highlander* à *Chapeau melon et bottes de cuir,* le cinéma a immortalisé ce merveilleux château fort du **loch Duich.** Il fut habité jusque dans les années 1950. Son donjon date du XIVᵉ siècle.

**le guide !**

Les vestiges préhistoriques sont nombreux au sud de Wick, dont les célèbres alignements de Hill O'Many plus de 200 pierres levées déployées en éventail.

## La côte

D'est en ouest, le littoral des Highlands enchaîne des pics isolés à l'aplomb d'une côte profondément découpée. Lumière transparente et cris des oiseaux marins sur des promontoires accidentés, des prairies sans enclos, d'innombrables landes creusées de lochs. Sur la côte est, **Strathpeffer** et son charme victorien, **Tain** et sa collégiale du XIVᵉ siècle, **Dornoch** et ses terrains de golf, conduisent à l'un des châteaux les plus spectaculaires de la région.

## Dunrobin Castle

*Golspie, à 85 km de Wick par l'A9. Ouvert tlj d'avril à octobre, de 10 h 30 (12 h le dimanche) à 16 h 30 (17 h 30 en été). Entrée payante.*
Ses seuls jardins qui dégringolent à la mer justifieraient un arrêt. Mais cet imposant château, construit entre les XIXᵉ et XIXᵉ siècles, a d'autres trésors à offrir, entre ses collections de tableaux, son magnifique mobilier et ses trophées de chasse.

## Ullapool

*A 90 km de Gairloch.*

## Ullapool Museum and Visitor's Centre

*West Argyle Street. Ouvert tlj en saison de 9 h 30 à 17 h 30, hors saison mercredi et samedi de 11 h à 15 h. Entrée payante.*
Au XVIIIᵉ siècle, avec l'aide de la *British Fisheries Society,* Ullapool devint **un des principaux centres de pêche au hareng de la côte nord-ouest.**

## Les jardins d'Inverewe

*A82, au nord de Poolewe. Ouvert tlj de 9 h 30 au coucher du soleil. Entrée payante.*
Une vraie curiosité botanique, avec la présence de plantes tropicales à la même latitude que le Labrador !

**le guide !**

Un des plus beaux sentiers pédestres de toute l'Ecosse passe par la gorge de Corrieshalloch et par ses cascades, à quelques kilomètres d'Ullapool.

**Vers le Nord**

# Les îles extérieures

*Des archipels nordiques des Orcades et des Shetland aux très continentales Hébrides, s'ouvre un univers d'oiseaux marins, de vieilles pierres et de randonnées sans frontières. C'est le domaine privilégié des sportifs et des ornithologues, ici sur fond de tempête, là au cœur des fleurs sauvages, avec la culture gaélique en étendard.*

## LES ORCADES

A 10 km au large du littoral nord, les Orcades sont constituées par 70 îles et îlots. Vingt-huit seulement sont habités. Des plaines fertiles et verdoyantes couvrent la plupart d'entre eux. Falaises et plages se partagent le rivage.

### Mainland

Les premiers habitants de **Mainland, l'île principale**, érigèrent d'importants monuments de pierre. Les plus célèbres se trouvent à **Skara Brae**, véritable village préhistorique construit trois mille ans avant Jésus-Christ. La chambre funéraire de **Maes Howe**, à 8 km de **Stromness**, plus grand port de l'île, est tout aussi impressionnante. Orientée en fonction du solstice d'hiver, elle réunit des sépultures mégalithiques comptant parmi les mieux conservées d'Europe occidentale. A une quinzaine de kilomètres à l'ouest de Kirkwall, il faut également jeter un coup d'œil sur **les cercles de pierres de Stenness et de Brodgar**.

### Kirkwall

Ancien comptoir viking, le centre administratif des Orcades conserve une agréable ambiance médiévale, avec de nombreuses maisons anciennes, dont **Tankerness House**, qui abrite un petit musée régional (*ouvert tlj, de 10 h 30 à 17 h en semaine, de 14 h à 17 h le dimanche*). **Avec St Magnus**

**Cathedral** *(ouvert tlj de 9 h à 17 h en semaine, de 14 h à 18 h le dimanche),* cette cité pomponnée et animée possède un chef-d'œuvre architectural mariant, avec art, gothique et roman, grès rose et grès jaune.

## Les autres îles

Trois sont à retenir en priorité : **Sanday** pour ses belles plages de sable, **Rousay** pour ses sites néolithiques, **Hoy** pour sa gigantesque aiguille rocheuse qui surgit des flots.

## LES SHETLAND

À 180 km du continent écossais, cet archipel d'une centaine d'îles est battu par le vent et balayé par la pluie. Ses hautes falaises, ses fjords profonds, ses plages désertes, dessinent des paysages vertigineux, des horizons uniques, que baigne une lumière changeante. Aujourd'hui, l'activité pétrolière menace toute cette beauté sauvage. **Les habitants des Shetland concoctent de multiples festivals,** dont le fameux **Shetland Folk Festival** (en avril). On observe les phoques et les loutres à **Papa Stour,** les dauphins et les orques à **Noss, Hermaness** ou **Sumburgh Head,** et, partout ou presque, de robustes petits poneys. **Mais les véritables vedettes de l'archipel, ce sont ses moutons,** dont la fine laine jouit d'une réputation internationale.

## Mainland

L'île principale égrène quelques ports colorés, comme **Scalloway** ou **Hillswick,** et des sites archéologiques réputés, comme **Jarlshoe** au sud, **Giant's Grave** au nord ou **Stanydale Temple** à l'ouest. **Lerwick,** sa capitale administrative, possède un port dynamique.

### Shetland Museum

*Boddam. Ouvert du lundi au vendredi de 10 h à 17 h (19 h les lundi, jeudi et vendredi). Entrée payante.*
A visiter dès qu'on pose le pied aux Shetland, pour appréhender l'histoire de l'archipel dans son ensemble, agricole et maritime, depuis la préhistoire.

**Suivez le guide !**

La *Highland Park Distillery,* à la sortie sud de Kirkwall, est la distillerie de whisky la plus septentrionale de la planète.

**Les îles extérieures**

## Les ailes de l'Ecosse

Goéland argenté, macareux, guillemot noir et guillemot à miroir, cormoran huppé, grand labbe et labbe parasite, fou de Bassan, fulmar boréal, mouette tridactyle, pingouin torda… Les îles extérieures écossaises constituent un véritable sanctuaire d'oiseaux de mer. De nombreux points d'observation y accueillent les ornithologues, à Esha Ness, Fetlar, Unst, Durness ou Fair Isle aux Shetland, à Westlay, Deerness ou Birsay Moors and Cottasgarth aux Orcades. En mai et en juin, époque de la nidification, le spectacle est féerique.

A u large de la côte nord-ouest du continent, les Hébrides intérieures et extérieures, qui forment l'entité administrative des Western Isles, marient les fleurs sauvages aux sites préhistoriques, telles la tour défensive de Carloway ou les pierres levées de Calanais.

## Lewis et Harris

Elles constituent une île unique, la plus grande et la plus septentrionale des Hébrides extérieures, plate au nord, montagneuse au sud.

### Stornoway

Capitale administrative des Hébrides extérieures, une petite cité très vivante, aux façades colorées et aux commerces nombreux, abritée au fond d'une rade naturelle.

## Isles of Uist

**North Uist, Benbecula** et **South Uist**, reliées par des chaussées, sont autant de terres basses périodiquement envahies par les eaux. Ne pas manquer les sites néolithiques qui entourent **lochmaddy**, très spectaculaires. Toute proche, **l'île de Barra** vaut autant pour ses mille espèces de fleurs que pour son festival d'été.

## Islay

L'île la plus méridionale des Hébrides oscille entre plages et falaises. Mais, si on la connaît de New York à Tokyo, c'est pour **ses extraordinaires whiskies à fort parfum de tourbe.**

## Skye

La plus grande île des Hébrides intérieures n'est qu'à quelques brasses de la côte. Un pont la relie au continent, au départ de **Kyle of Lochalsh**. L'île alterne les paysages de rêves, entre montagnes mauves et hautes falaises dominant la mer, chaos rocheux et prairies verdoyantes. Elle possède quelques passages obligés, comme **Portre** et ses façades aux tons pastel, **Carbost** et la distillerie du prestigieux **whisky Tallisker**, **Quiraing** et ses flèches naturelles creusées dans le plateau basaltique. Mais c'est, d'abord, à **Dunvegan Castle** qu'il faut s'arrêter.

### Dunvegan Castle

*Ouvert tlj de 10 h à 17 h 30, hors saison de 11 h à 16 h. Entrée payante.*
Résidence de l'illustrissime **clan Mac Leod** depuis le XIIᵉ siècle, elle renferme son étendard, tissé, dit-on, de fils de soie magiques : **le Fairy Flag**. En août, le château organise des compétitions de cornemuse.

*Skye, l'île la plus vaste des Hébrides intérieures est aussi la plus visitée en raison de ses paysages grandioses.*

# Carnet
# d'adresses

# Edimbourg

Indicatif téléphonique 0131

## HÔTELS

**Balmoral Hotel,** ✳✳✳✳✳
*Prince Street.*
Son salon *Palm Court* réserve le plus fameux *tea time* de la ville. Cette gloire de l'hôtellerie écossaise ajoute maintenant un centre de thalasso-thérapie à ses valeurs consacrées.

**Caledonian Hilton,** ✳✳✳✳
*Prince Street.*
Une institution, avec chambres élégantes, salons ouatés, service sans reproche. Il bénéficie d'une vue sur le château. Malgré son nom, son restaurant *Le Pompadour* est réputé pour ses spécialités locales !

**The Royal Terrace Hotel,** ✳✳✳✳
*Royal Terrace.*
Cinq hôtels particuliers georgiens ont été réunis pour former un établissement aussi original que raffiné. Chambres tendues de riches tissus écossais. La nouvelle aile (*Ambassador*) se révèle particulièrement luxueuse.

**Bruntsfield Hotel,** ✳✳✳
*Bruntsfield Place.*
Cette demeure calme et confortable ouvre sur arbres et pelouses. Très bonne cuisine écossaise contemporaine.

**Haymarket Hotel,** ✳✳
*Coates Gardens.*
Une petite maison familiale, bien située dans la cité, qui réserve un accueil très chaleureux à ses hôtes.

## RESTAURANTS

**Café Royal,** ⵌ ⵌ ⵌ ⵌ
*17A West Registers Street, tél. : 556 41 24.*
Entre l'*Oyster Bar,* qui fleure bon les recettes traditionnelles de gibier et de poisson, et le *Circle Bar* attenant, où coulent les plus somptueux whiskies du pays, une adresse élégante et renommée, emplie d'un charme très victorien.

**Creelers,** ⵌ ⵌ ⵌ
*3 Hunter Square, tél. : 220 44 47.*
Un des points de chute préférés des autochtones amateurs de coquillages, de crustacés et de poissons.

**Haldanes,** ⵌ ⵌ ⵌ
*39 a Albany Street, tél. : 5568407.*
Fidèle aux grandes spécialités du pays, il constitue l'un des rendez-vous les plus courus des gourmets de la ville, offrant autant de confort que de gentillesse. Une adresse sûre.

**Beehive Inn,** ⵌ ⵌ
*18-20 Grassmarket, tél. : 225 71 71.*
Dépaysant à souhait, un ancien relais de poste quatre fois centenaire qui joue du répertoire de la cuisine traditionnelle. C'est à la fois bon et copieux.

**The Waterfront,** ⵌ ⵌ
*1C Dock Place, Leith, tél. : 554 74 27.*
Un bistrot à la mode écossaise, tout de plafonds bas, de coins et de recoins, d'objets curieux. On y déguste une cuisine de la mer haute en couleur et en saveur.

## SORTIR

**Jekyll and Hyde Pub**
*112, Hanover St.*

Dans un décor ténébreux, frissons assurés sur les pas de l'écrivain Stevenson !

## Whighams Wine Cellar
*13 Hope Street.*
Dans New Town, un bar à vin qui fait l'unanimité entre yuppies et rugbymen, avec long comptoir, sciure au sol et crus bien choisis, servis au verre.

## Greyfriars Bobby's Bar
*Candlemarket Row.*
A l'enseigne du célèbre chien qui veilla fidèlement la tombe de son maître, un des plus vieux pubs d'Edimbourg. Tout le monde s'y parle tout de suite ou presque.

## The Malt Shovel Inn
*11-15, Cockburn Street.*
Il vaut autant pour ses concerts (mardi et jeudi) que pour son superbe choix de whiskies.

## SHOPPING

### Art et antiquités
Les principaux antiquaires se trouvent sur *St Stephen's Street*, *Victoria Street* et *le Royal Mile* ; hormis meubles et peintures, ils exposent souvent des armes anciennes et de nombreux objets décoratifs du XIX$^e$ siècle. Sur *Union Street*, le *Printmakers Workshop* propose de magnifiques gravures à tirage limité et, sur *Cockburn's Street*, la *Collective Gallery* est entièrement dédiée au travail des jeunes artistes contemporains.

### Grands magasins et centres commerciaux
*Princes Street* réunit les deux plus célèbres grands magasins de la capitale, *Jenners,* fondé en 1830, et *House of Frasers*, à côté des incontournables *Mark & Spencer* et *Wool-*worth*. Toujours sur *Princes Street*, le *Waverley Centre* regroupe une centaine de boutiques très mode. A la périphérie de la ville se multiplient les centres commerciaux. A Livingston, le tout nouveau *Mac ArthurGlen* est le plus vaste d'Ecosse.

### Vêtements
Au pays de la laine, le choix est immense, notamment sur *le Royal Mile*. Mention spéciale pour les vêtements et les équipements de plein air, avec *Graham Tiso*, à Leith (*41 Commercial Street*).

## ADRESSES UTILES

### Consulat de France
*11 Randolph Crescent, tél. : 225 79 54.*

### Tourist Informations Centre
*Waverley Market, 3 Princes Street, tél. : 473 38 00.*

### Scottish Tourist Board
*23 Ravelston Terrace, tél. : 332 24 33.*

### International Newsagents
*351 High Street*
Journaux français.

# Glasgow
Indicatif téléphonique 0141

## HÔTELS

### One Devonshire Gardens, ✳ ✳ ✳ ✳ ✳
*1 Devonshire Gardens, Great Western Road.*
Entre *sweet home* et design, lits à baldaquin aux lourds tissus et chaises aux lignes épurées, une des adresses les plus séduisantes de la cité, très symbolique de sa nouvelle hôtellerie.

**Malmaison,** ✳✳✳✳
*278 West George Street.*
Aménagé dans une ancienne chapelle, un établissement au superbe décor contemporain. Le portrait de Bonaparte à Arcole trône à la réception : pour contrarier les Anglais ?

**ArtHouse Hotel,** ✳✳✳
*129 Bath Street.*
A la rencontre des artères vitales de la ville, un style glamour et une clientèle dans le vent.

**East Lochead,** ✳✳
*Largs Road, Lochwinnoch.*
Au sud de la ville, à 15 min de l'aéroport, un manoir au cœur des pâturages et des collines du Renfrewshire.

## RESTAURANTS

**Rogano,** 🍴🍴🍴🍴
*11 Exchange Place, tél. : 248 40 55.*
C'est l'Adresse, avec une majuscule, pour les fruits de mer, le poisson et le gibier, servis dans un somptueux cadre Art déco.

**City Merchant,** 🍴🍴🍴
*97-99 Candleriggs, tél. : 553 15 77.*
Au cœur de la cité, une table plus écossaise que nature, qui fait la part belle aux produits du pays (gibier et poisson).

**The Brasserie,** 🍴🍴🍴
*176 West Regent Street, tél. : 248 31 01.*
Style édouardien et cuisine généreuse dans une maison bon chic bon genre.

**Stravaignin,** 🍴🍴
*28, Gibson Street, tél. : 334 26 65.*
Un point de chute tout indiqué pour se familiariser avec la gastronomie locale, et notamment la panse de brebis farcie.

## SORTIR

**Uisge Beatha**
*Woodlands Road.*
Plus écossais, impossible : dans ce publà, les serveurs portent le kilt ! La centaine de whiskies réglementaire est au rendez-vous. Visiblement, les bouteilles sont choisies avec autant de compétence que de passion.

**The Arches**
*30 Midland Street.*
Très fréquentée et complètement folle, c'est la boîte branchée de Glasgow. S'y succèdent les meilleurs DJs, qui multiplient les prouesses. Elle donne la mesure de la transformation radicale de la cité, hier triste, aujourd'hui joyeuse.

**King Tut's Wah Wah Hut**
*272A St Vincent Street.*
Au-dessus du pub, une salle de concerts où se produisent les meilleurs groupes de la ville, dans une ambiance amicale et surchauffée !

**The Scotia**
*112, Stockwell St.*
Sous les plafonds bas de ce pub vieux de plus de 200 ans s'est écrite l'histoire ouvrière et littéraire de Glasgow.

## SHOPPING

### Art et antiquités
Les galeries d'art sont très souvent de dimensions modestes, notamment dans *King Street*, *Chilsholm Street* et *Parnie Street* ; parmi les plus célèbres : *Art Exposure Gallery*, *Original Print Studio* et *Street Level Gallery*. Antiquités et brocante sur Yorkhill Quay et à l'ouest de la ville (nombreuses gravures anciennes).

**Livres**
*John Smith and Son* (*57 St Vincent Street*), fondé au XVIIIe siècle, et l'immense *Borders* (*98 Buchanan Street*), avec presse et CD.

**Grands magasins
et centres commerciaux**
*Frasers* (*Buchanan Street*) et *Mark & Spencer* (*Argyle Street*), valeurs traditionnelles, subissent, aujourd'hui, la concurrence de galeries marchandes nombreuses, monstrueuses et tonitruantes, telles *Princes Square* (*Buchanan Street*), *St Enoch Center* (*Argyle Street*) ou *Buchanan Galleries* (*Buchanan Street*).

## ADRESSE UTILE

**Tourist Information Centre**
*11 George Square,
tél. : 204 44 00.*

# Inverness
Indicatif téléphonique 01463

## HÔTELS

**Culloden House, ✱✱✱✱**
*Milton of Culloden.*
Au cœur d'un parc de 16 ha et sous la vigne vierge, un vaste et magnifique manoir palladien, avec meubles d'époque. Une des meilleures étapes des Highlands.

**Glendruidh House Hotel, ✱✱✱**
*Old Edinburgh Road South.*
Un petit établissement de conte de fées, fleuri à souhait et dont le patron est d'excellent conseil pour explorer la région.

**Loch Ness House Hotel, ✱✱**
*Glenurquhart Road.*
A 2,5 km du centre-ville, une maison familiale à côté du canal calédonien et d'un terrain de golf. Atmosphère calme et chaleureuse. Bon restaurant de fruits de mer en prime.

## RESTAURANTS

**Dunain Park,** 🍴🍴🍴
*82, tél. : 23 05 12.*
Un manoir dont la cuisine, à la fois locale et française, fait saliver toutes les fines gueules écossaises. Il faut dire que le chef est un saucier hors pair. Pâtisseries à se damner !

**The Mustard Seed,** 🍴🍴
*16 Fraser St, tél. : 22 02 20.*
Il occupe une ex-chapelle, mais sa cuisine savoureuse invite au péché de gourmandise.

**Aboyne-The Old Bridge Inn,** 🍴🍴
*Dalfaber Road, Aviemore, à 45 km au sud-est d'Inverness, tél. : 81 11 37.*
Fréquentée par les skieurs l'hiver, par les randonneurs et les pêcheurs l'été, une bonne table régionale dressée près de l'eau.

## SORTIR

**Hootananny**
*67, Church St.*
Plusieurs salles pour de nombreux styles de musique (celtique, jazz rock, blues), qui enflamment chaque soir l'établissement.

**The Phoenix**
*Academy Street.*
Le vrai pub écossais, complice et bavard. En saison touristique, des groupes musicaux viennent y animer les fins de semaine.

Carnet d'adresses

## SHOPPING

Triomphe sans partage de la laine des Highlands et des Shetland ! Les boutiques les plus nombreuses et les plus séduisantes sont situées dans High Street et les rues avoisinantes.

## ADRESSE UTILE

**Tourist Information Centre**
*Castle Wynd, tél. : 23 43 53.*

# Aberdeen

Indicatif téléphonique 01224

## HÔTELS

**The Marcliffe at Pitfodels,** ✴✴✴✴
*North Teeside Road.*
Dans un vaste parc de l'ouest de la ville, une demeure rayonnante, toute de meubles anciens et de tableaux de maîtres, membre de *Small Luxury Hotels of the World.* Elle parle, avec le même talent, de pêche au saumon, de chasse à la grouse, de golf et… de whisky.

**Roselynd House,** ✴✴
*27 Kings Gate.*
Une guest house aussi élégante qu'accueillante, avec une délicieuse atmosphère victorienne et des chambres très spacieuses.

## RESTAURANTS

**Silver Darling Restaurant,** ⅋ ⅋ ⅋
*Pocra Quay, North Pier, tél. : 57 62 29.*
A ne manquer sous aucun prétexte, tant pour sa vue sur l'eau que pour ses poissons, ruisselants de fraîcheur et cuisinés avec art.

**Gerard Brasserie,** ⅋ ⅋
*50 Chapel Street,*
*tél. : 63 95 00.*
L'enseigne annonce la couleur : ici, viandes et poissons sont préparés à la française. Le talent est au rendez-vous, la gentillesse de l'accueil et du service aussi.

## SORTIR

**Camerons Inn**
*Little Belmont Street.*
Un des pubs les plus authentiques de la ville, très couru par les étudiants.

**The Lemon Tree**
*5 West North St.*
Le soir, d'excellents groupes musicaux en font un temple à part entière du rock, du folk, du blues et du jazz.

**His Majesty's Theatre**
*Union Street.*
Très réputé pour ses comédies musicales.

## SHOPPING

Beaucoup de boutiques sur la très animée *Union Street*, plus un centre commercial à ne pas manquer sur *George Street* : Bon Accord.

## ADRESSE UTILE

**Visitor Information Centre**
*23 Union Street,*
*tél. : 288 828.*

# En savoir plus

| | Aberdeen | Aviemore | Durness | Edimbourg | Falkland | Glasgow | Inverness | Melrose | Stirling | Ullapool |
|---|---|---|---|---|---|---|---|---|---|---|
| Aberdeen | - | 136 | 346 | 202 | 149 | 256 | 174 | 261 | 192 | 267 |
| Aviemore | 136 | - | 243 | 214 | 173 | 226 | 232 | 274 | 180 | 165 |
| Durness | 446 | 243 | - | 456 | 414 | 445 | 174 | 515 | 421 | 110 |
| Edimbourg | 202 | 214 | 456 | - | 60 | 74 | 285 | 59 | 58 | 376 |
| Falkland | 149 | 173 | 414 | 60 | - | 93 | 242 | 118 | 58 | 334 |
| Glasgow | 256 | 226 | 445 | 74 | 93 | - | 275 | 117 | 42 | 355 |
| Inverness | 174 | 232 | 174 | 285 | 242 | 275 | - | 342 | 250 | 94 |
| Melrose | 261 | 274 | 515 | 59 | 118 | 117 | 342 | - | 114 | 435 |
| Stirling | 192 | 180 | 421 | 58 | 58 | 42 | 250 | 114 | - | 342 |
| Ullapool | 267 | 165 | 110 | 376 | 334 | 355 | 94 | 435 | 342 | - |

# Lexique

Le gaélique, apparenté aux autres langues celtiques, comme l'irlandais, le gallois ou le breton, fut longtemps la langue la plus parlée en Ecosse. Importé du nord-est de l'Irlande au III<sup>e</sup> siècle, il mit quatre à cinq siècles pour s'imposer des Highlands aux Lowlands. A partir du X<sup>e</sup> siècle, se développèrent des dialectes anglo-saxons, d'abord dans le Sud, puis dans l'ensemble du pays.

Aujourd'hui, l'anglais est la langue nationale de l'Ecosse. Son statut officiel date de 1707. Il est parlé avec un accent très particulier, tout de sonorités gutturales et de r roulés, notamment à Glasgow, comme si les Ecossais voulaient marquer leur différence ! Le gaélique n'est plus utilisé que par 1,5 % de la population.

## Compter

1 : *one.*
2 : *two.*
3 : *three.*
4 : *four.*
5 : *five.*
6 : *six.*
7 : *seven.*
8 : *eight.*
9 : *nine.*
10 : *ten.*
11 : *eleven.*
12 : *twelve.*
20 : *twenty.*
30 : *thirty.*
40 : *forty.*
100 : *one hundred.*
200 : *two hundred.*
1 000 : *one thousand.*

## Formules de politesse

Bonjour (le matin) : *good morning.*
Bonjour (l'après-midi) : *good afternoon.*
Bonjour (familier) : *hi, hello.*
Bonsoir : *good evening.*
Bonne nuit : *good night.*
Au revoir : *good bye.*
S'il vous plaît : *please.*

Merci : *thank you.*
Merci (familier) : *thanks, cheers.*
Pardon : *I beg you pardon, sorry.*
Comment allez-vous ? : *how are you today ?*
Bien, merci : *I am fine, thanks.*
Excusez-moi : *excuse me, pardon me.*

## Questions courantes

Où se trouve… ? : *where is …?*
Est-ce qu'il y a… ? : *is there …?*
Est-ce loin d'ici ? : *is it far from here?*
Est-ce près d'ici ? : *is it close from here?*
Pouvez-vous répéter ? : *can you repeat?*
C'est combien ? : *how much is it?*
Quelle heure est-il ? : *what time is it?*
Parlez-vous français ? : *do you speak French?*
Pourquoi ? : *why?*
Pouvez-vous me dire comment aller à… ? : *could you tell me the way to…?*

## Vocabulaire de base

Droite : *right.*
Gauche : *left.*
Tout droit : *straigt ahead.*
Avec : *with.*
Sans : *without.*
Beaucoup : *many.*
Peu : *few.*
Jour : *day.*
Nuit : *night.*
Bagages : *luggage.*
Toilettes : *restrooms, toilets.*
Hôpital : *hospice.*
Médecin : *doctor.*

Police : *police.*
Banque : *bank.*
Change : *change.*
Timbres : *stamps.*
Voiture : *car.*
Autobus : *bus.*
Station de bus : *bus stop.*
Aéroport : *airport.*
Gare : *railway station, train station.*

## A l'hôtel et au restaurant

Chambre : *bedroom.*
Lit : *bed.*
Petit déjeuner : *breakfast.*
Salle de bains : *bathroom.*
Dormir : *to sleep.*
Boire : *to drink.*
Manger : *to eat.*
Menu : *set menu.*
A la carte : *menu.*
Addition : *bill.*
Entrée : *starters.*
Plat : *entrée.*
Dessert : *dessert.*
Viande : *meat.*
Bleu, saignant, à point, bien cuit : *raw, rare, medium rate, well done.*
Poisson : *fish.*
Sauce : *dressing.*
Pain : *bread.*
Lait : *milk.*
Moutarde : *mustard.*
Eau plate : *still water.*
Eau gazeuse : *sperkise water.*
Eau du robinet : *tap water.*
Service compris : *service charge included.*

En savoir plus

# Bibliographie

### Histoire et civilisation

*Ecosse, pierre, vent et lumière,* ouvrage collectif sous la direction de K. White, Autrement, hors-série N° 33, 1988.

*Histoire de l'Ecosse,* J.-C. Crapoulet, PUF, Que sais-je ?, 1972.

*Ecosse,* C. Civardi, Le Seuil, Points Planète, 1990.

*Histoire de l'Ecosse,* M. Duchein, Fayard, 1998.

### Ouvrages illustrés

*Le Whisky,* T. Benitah, Flammarion, 2000.

*Ecosse,* P. Mahé, Le Chêne, 1998.

*Châteaux d'Ecosse,* I. Bréga, Grûnd, 1999.

*Le Golf, un art de vivre,* A.-J. Lafaurie, Le Chêne, 1997.

*Les Routes du malt,* M. Nouet, J. Tramson et J.-J. Magis, Hermé, 1999.

### Littérature

*Poésie,* R. Burns, Aubier, 1994. Pour se familiariser avec le plus grand nom de la poésie écossaise.

*Les Belles Années de Mademoiselle Brodie,* M. Spark, Fayard, 1995. La plume acérée d'une femme de lettres qui fut aussi une grande voyageuse.

*La Veuve des Highlands et autres contes surnaturels,* W. Scott, Terre de brume, 1999. Mystère teinté de romantisme dans l'Ecosse sauvage.

*Waverley, La Fiancée de Lamermoor, Rob Roy,* W. Scott, Robert Laffont, Bouquins, 1985. Avec Ivanhoé, sans doute les trois œuvres les plus significatives de l'auteur écossais le plus célèbre dans le monde.

*A travers l'Ecosse,* R.L. Stevenson, Complexe, 1992. Le témoignage précieux et sensible d'un amoureux de son pays, à la frontière du journalisme et de la littérature.

*Le Cas étrange du Docteur Jekyll et de Mister Hyde,* R.L. Stevenson, Hachette, 1997. Maintes fois adaptée à l'écran, l'œuvre maîtresse de cet écrivain de la seconde moitié du XIXe siècle, entre philosophie et terreur.

*La Malédiction du clan Stewart,* M. Gladys, 10/18, 2001. Une histoire policière assez embrouillée, mais bénéficiant du cadre somptueux des Highlands, décrit avec une grande exactitude.

*L'Ile Noire,* Hergé, Casterman, 1938/1965. Tintin en kilt, de l'île de Skye aux Highlands.

*Les Trente Neuf Marches,* J. Buchan, Librio, 1996. Alfred Hitchcock en tira son célèbre film, sorti en 1935.

# Recette

## Tarte au saumon à l'aneth

Ingrédients (pour 4 personnes)
– 450 g de saumon frais
– 3 œufs battus
– 45 cl de crème fraîche
– 1 cuillère à café de noix de muscade râpée
– 1 bouquet d'aneth
– sel et poivre.

Pâte à tarte
– 250 g de farine
– 60 g de beurre
– 60 g de saindoux
– 3 cuillères à soupe d'eau froide
– sel.

Préparation

Mélanger très délicatement le beurre, sans le travailler, avec le saindoux, le sel et la farine. Ajouter progressivement l'eau froide pour lier la pâte. Former une boule et laisser reposer 30 min au réfrigérateur. Préchauffer le four à 200 °C. Etaler la pâte au rouleau, puis la déposer dans un moule beurré à fond amovible. Placer au four pendant 10 min, badigeonner le fond d'un peu d'œuf battu, remettre au four 8 min, laisser dorer, puis tiédir.
Baisser le four à 170 °C. Découper le saumon en petits morceaux. Les répartir sur le fond refroidi. Y verser les œufs battus et assaisonnés. Saupoudrer le tout avec les brins d'aneth. Mettre au four. Bien surveiller la cuisson : l'interrompre quand la préparation est ferme au toucher et légèrement gonflée.

# ECOSSE

- ■ 0 à 500 mètres
- ■ 500 à 1000 mètres
- ■ 1000 à 2000 mètres

0    50    100 km

**LES SHETLAND**
Mainland
Lerwick

**LES ORCADES**
Mainland
Kirkwall

**LES HEBRIDES EXTERIEURES**
Carloway
Callanish
Stornoway

Durness
Scourie
Lochinver
Turso
Wick

*Loch Shin*

Ullapool
▲ *1084 m*
Brora
*Loch Fannich* ▲ *1046 m*
Dornoch
Nairn
Elgin
Banff
Keith

Skye
*Carn Eige 1183 m* ▲ Beauly
Inverness
Kyle of Locholsh
Fort Augustin
Mallaig

*Loch Ness*

▲ *1309 m*
▲ *1068 m*
Pitlochry

*Ben Nevis 1343 m* ▲
*Loch Ericht*

Glencoe
Iona   Oban
*Ben Lawers 1214 m* ▲ *Loch Rannoch*
*Loch Tay*
**L'ANGUS**

**LES HEBRIDES INTERIEURES**
*Loch Awe*
*879 m* ▲ Grieff
Perth
Dundee
Saint-Andrews

*Loch Lomond* Callander
Dunblane
Stirling
Glenrothes
Dumbarton
Folkirk
Dunfermline
Greenock
Coatbridge
Edimbourg
Paisley
Glasgow
Motherwell
Hamilton
Newton
St Boswells

Campbeltown
Arran
Kilmarnock
Ayr
▲ *843 m*
*Broad Law 840 m* ▲
Melrose
Hawick

Dumfries
Castle Douglas
IRLANDE
Stranraer  Withorn

ANGLETERRE

**MER DU NORD**

Aberdeen

# LES GUIDES MONDEOS
## Pour savoir où vous allez

**120 PAGES**

**PLUS DE 80 PHOTOS, CARTES, PLANS...**

INDONÉSIE

VOYAGER DÉCOUVRIR PARTIR RENCONTRER

guides mondeos

MAROC

VOYAGER DÉCOUVRIR PARTIR RENCONTRER

guides mondeos

**CARTES POSTALES INCLUSES**

**POUR SEULEMENT**

**4,95 €**

**PLUS DE 115 TITRES DISPONIBLES**

**guides mondeos**

# Index